MODERN SPANISH POEMS

Jiménez   Machado   Lorca   Otero

SELECTIONS FROM THE POETRY OF

Juan Ramón Jiménez
Antonio Machado
Federico García Lorca
Blas de Otero

EDITED BY CALVIN CANNON AMHERST COLLEGE

MODERN SPANISH POEMS

THE MACMILLAN COMPANY

Fourth Printing, 1969

Library of Congress catalog card number: 65–11599

The Macmillan Company
Collier-Macmillan Canada, Ltd., Toronto, Ontario

Printed in the United States of America

ACKNOWLEDGMENTS

The Editor is indebted to the following people and publishers for permission to use the material reproduced:

To Don Francisco Hernández-Pinzón Jiménez for the poems of Juan Ramón Jiménez.

To Don Manuel Alvarez de Lama and Matea Monedero vda. de Machado for the poems of Antonio Machado.

To The Estate of Federico García Lorca, and New Directions, Publishers, for the poems of Federico García Lorca.

To Don Blas de Otero, for his own poems.

The college student of today is generally better prepared and more discriminating than his counterpart of several years ago, and as a result he is less inclined to give his attention to writing that is trivial and mediocre. The time has come when teachers of Spanish must clear their shelves of all but the best of Hispanic literature and resolve to give their students reading that is consistently significant and mature. It is with this in mind that the present text has been conceived. There can be no doubt about the high quality of modern Spanish poetry, and on the basis of my own classroom experience I am persuaded that today's student will respond to it with understanding and enthusiasm.

To introduce the rich and varied achievement of modern Spanish verse, I have selected poems from four great poets: Antonio Machado, Juan Ramón Jiménez, Federico García Lorca, and Blas de Otero. The poems themselves have been selected in answer to various criteria: the quality of the poem, its linguistic accessibility, its amenability to classroom discussion and interpretation, its capacity to complement other poems in the collection, and its capacity to engage the student's imagination and interest.

The questions accompanying the poems are designed to lead the student step by step to a relatively adult understanding of the poems. Some of the questions are addressed to matters of style and craftsmanship — to the way which

Preface

the poet speaks. Others are intended to probe the contents of the poem, of what the poet tries to say, and still others hopefully bridge the two, pointing to the essential unity of form and content, the work's total meaning. It is not expected, of course, that the questions will be appropriate to every student or to every class. They will often require adaptation to specific situations, needs, and purposes, and in some instances they should perhaps be dispensed with entirely. In no case should they or the notes or the introductions be allowed to usurp attention from the poem itself. To this end, each poem has been printed naked and alone, free of footnotes and other pedagogical paraphernalia. Arabic numerals are fine for research papers, but they are singularly out of place in the Alexandrines of Juan Ramón Jiménez.

Given the linguistic simplicity of most of the poems and the copious explanatory notes which accompany them, it seems to me that this text can be properly introduced as early as the second semester of college Spanish. At the same time, however, the poems are sufficiently mature to be read in the more advanced courses. A poem like Jiménez's «El viaje definitivo» or Lorca's «Canción de jinete» is always appropriate, always challenging.

Calvin Cannon

AMHERST, MASSACHUSETTS

Table of Contents

Federico García Lorca

Blas de Otero

Introduction

Poetry has always been the high achievement of Spanish literature. For although it can boast such prose masterpieces as *Don Quijote* and *La Celestina,* the truth is that they are rather exceptional. Spaniards created the modern novel, but it remained the task of others to develop it to its present greatness. Spanish drama at its best has been a poetic genre; a really successful prose drama has appeared only rarely. The essay was relatively insignificant in Spain until the present century, and other prose genres — biography, letters, memoirs, journals — have scarcely existed at all. But Spaniards have always written fine poetry, and during two long periods of florescence what they wrote was unexcelled in any other European literature and equalled only by the English. The first lasted from the beginning of the fifteenth century through the middle of the seventeenth, some two hundred and fifty years. The second began about 1890 and has continued to today, interrupted only momentarily by the ugly events of the Civil War.

Two important movements mark the beginning of Spanish poetry in our century: the Generation of 1898 and *Modernismo.* 1898 was, of course, the year of the war with the United States, a war that Spain had confidently expected to win. Defeat at the hands of the upstart Americans came as dramatic and incontrovertible evidence that the glories of the imperial past were no longer and that the national character lay gravely ill. Although many Spaniards were deeply concerned for their country's health even before the war, the defeat itself was a shattering experience. Now, more than ever, they were concerned to ask what it meant to be a Spaniard. The foundations had crumbled and they wanted to know why. In search of answers, they probed the nation's past and pondered its historic destiny. They sought out the traditional values in order to revitalize them, and the ancient faults in order to extirpate them. Although they were often caught up in pessimism and despair, their ultimate stance was affirmative. They came to love the stark beauty of the Castilian landscape and rediscovered the greatness of the Spanish Middle Ages, of Spanish literature and Spanish art. They perceived the nobility of their language and worked to give it new vitality, stripping away the accretions of false rhetoric, developing new richness of voice. The men of the Generation of 1898 were men in love with their exhausted and defeated country and gave themselves to the task of its renewal and regeneration.

The movement known as *Modernismo* had begun in Latin America some ten years before the *"Desastre"* of the war with the United States. Contrary to the historical and spiritual preoccupations of the Generation of 1898, *Modernismo* was almost exclusively an aesthetic manifestation. Its poetry — and there was little else — was exquisitely sensuous and melodious, of extraordinary formal beauty and technical virtuosity. Its world was a pagan and hedonistic one of princesses, parks, swans, and palaces. The *modernista* poet preferred an aristocratic and ivory tower existence, aloof from the press of common life. He liked the Italy of the Renaissance and the France of Versailles. Paris was the center of his world, and the French Parnassians and Symbolists were his saints. *Modernismo* was already full blown when it reached Spain towards the end of the last century, and its effect was immense. Some of the young Spanish writers became full-fledged *modernistas,* some adapted it to their own purposes, and some vigorously condemned it. But regardless of their reaction, they all learned from it, and within a decade the achievements and innovations of *Modernismo* had merged with those of the Generation of 1898. In the process each contributed to the other what it had been peculiarly lacking. The result was the emergence of a new literature of spiritual depth and aesthetic refinement the likes of which Spain had not known since the decline of her Golden Age.

And notably, it was a literature of poetry or of prose deeply infused with the qualities of poetry. During this time, when the novel came within an inch of swallowing up every other genre in most European countries, poetry in Spain reached new heights of excellence, overshadowing all other forms of literature, and not only overshadowing them, but often infiltrating them and reshaping them into its own image. The novel, the short story, the theater, and the essay all fell under its sway. Ortega's philosophic meditations were fraught with metaphor and poetic insight. The novels of Azorín were splendid prose poems. And Pérez de Ayala rightly called his three best short stories *novelas poemáticas*. The figure who dominated the entire period, Miguel de Unamuno, regarded himself — and not without reason — as primarily a poet. The work he cherished most and on which he labored hardest was his long poem in blank verse, *El Cristo de Velázquez*. Finally, two of the greatest writers of the day, and perhaps indeed the greatest, were Juan Ramón Jiménez and Antonio Machado, who were poets through and through.

The literature initiated at the turn of the century was immeasurably enriched in the 1920's with the appearance of a new group of writers, known today as the Generation of 1927. And it was, almost exclusively, a generation of poets. The novel, that greatest of prose genres, languished dreadfully and all but disappeared. The essay, which had been brilliantly cultivated in the two preceding decades, was also in decline. But the florescence of poetry was nothing short of phenomenal. At least a dozen of the poets were of the first rank, and at least four of them — Pedro Salinas, Jorge Guillén, Rafael Alberti, Federico García Lorca — belong to the very greatest of modern European writers. As a group, they were sophisticated, cosmopolitan, and knowledgeable. Their poetry derived at once from the grand traditions of their own literature and from the most avant-garde of contemporary European letters. They were impeccable craftsmen who wrote with a classic sense of purity, restraint, and precision. But they are to be characterized perhaps above all by their love of image and metaphor. All of them regarded imagery as the heart and soul of poetry, and some sought to reduce poetry to a sequence of images from which everything else had been removed. For them, the image was a reality in itself, separate from and somehow superior to the immediate reality of everyday life. But such extremism did not prevail, and by the 1930's all the poets of 1927 had begun to evolve towards a more human idiom. Then came the Civil War.

Never before had Spain known a bloodletting of such proportions: upwards of a million dead in a war of ruthless terrorism, mass executions, savage atrocities, hate, vengeance, and hysteria, in a war of social disintegration and primitive chaos. When, after nearly three years, the conflict came to an end, Spain was a nation physically and spiritually exhausted, despoiled, and mutilated.

Inevitably, the literature of the immediate postwar period was an impoverished one. With rare exception the great writers of prewar fame were either dead or in exile, and the grim circumstances of the early 1940's were hardly conducive to artistic excellence. Since then, however, there has been a remarkable recovery, and many Spaniards speak confidently of a day in the not too distant future when literature in Spain will regain its prewar splendor. From the point of view of quantity, the recovery has been most notable in the novel and in poetry, but if value judgments are to be made, it appears that poetry has again come to dominate Spanish literature.

The poetry that has emerged in the last fifteen years is almost the antithesis of the poetry written before the war. The contemporary Spanish poets are rooted deep in their own time and circumstance, and many believe that it is their pressing task to incorporate that time and circumstance into their poetry. Some have limited themselves to reporting the chaos and misery about them, whereas others have sought to make of their poetry an instrument to change man and society, denouncing the flagrant injustices that surround them in a manner often reminiscent of the ancient Hebrew prophets. As might be expected, some of the poetry so oriented is little more than versified propaganda, and some of it is simply strident wailing. But much of it speaks with the voice of authentic poetry and promises to survive the specific historical circumstances that urged it into being. The poetry brought forth in Spain during the last fifteen years offers at its best clear evidence that the profound renewal of Spanish verse, begun some three quarters of a century ago, has not yet been exhausted.

Juan Ramón Jiménez

INTRODUCTION

«Para dar un alivio a estas penas»

«¿Esta música que tocan»

«¡Esta desilusión penetrante y amarga»

EL VIAJE DEFINITIVO

NOCTURNO

NOCTURNO SOÑADO

REQUIEM

Juan Ramón Jiménez was born on December 23, 1881, in the southern Andalusian village of Moguer. After a happy and tranquil childhood, he went off to Seville to study law but spent most of his time there painting and writing poetry, until eventually a bad history examination and ill health combined to put an end to his studies and send him back to Moguer. Here, quite suddenly one summer night, his father died, an event that filled him with anguish and left him with a morbid fear of death. His already precarious health now worsened, and he began to spend time in sanatoriums, first in France, then in Spain. This period was, nevertheless, one of feverish creative activity for the young poet. In 1900 he went to Madrid where he immediately became a major force in the great intellectual renascence under way there. By the publication in 1903 of his *Arias tristes* he was already — at the age of twenty-one — one of the nation's most promising poets.

In 1916 Jiménez, now the author of some sixteen volumes of published verse, journeyed to the United States to marry Zenobia Camprubí, whom he had met in Madrid some years earlier. Returning to Spain, they settled down in Madrid and remained there until the outbreak of the Civil War in 1936. Although never before seriously concerned with politics, Juan Ramón quickly identified himself with the Republic, and in the early months of the upheaval he and Zenobia dedicated themselves to the care of orphaned children. But convinced that there was little that he could do of positive value in the conflict and harrassed by a new siege of ill health, he and Zenobia reluctantly decided to leave. And so, in the fall of 1936, they returned to the United States where the Spanish Republic had named him honorary cultural attaché. In the years that followed, they lived variously in Washington, Maryland, Florida, Cuba, and finally, from 1952 on, in Puerto Rico. For in spite of continued efforts on the part of the Franco government to persuade him to return to Spain, they never gave up their self-imposed exile. In November of 1956 Juan Ramón, then seventy-four, was awarded the Nobel Prize for literature. But he could scarcely take joy in it, for three days later Zenobia, his wife of forty years and the "inspiration of all my work," died of cancer. After this he never wrote again, and on May 29, 1958, he died at a hospital in San Juan, Puerto Rico.

Jiménez's first important works were *Arias tristes, Jardines lejanos,* and *Pastorales* (1903–1905), all written under the influence of the *modernista* aesthetic. Steeped in melancholy and nostalgia, they are poems of exquisite sensitivity, of delicate and refined beauty, bucolic in setting and superbly musical in effect. But unfortunately for many a modern reader, they are often sentimental, even maudlin, and the seriousness of the underlying themes is dispersed among roses, lilacs, dry leaves, tears, and moonlight. Some of this was, of course, a part of the *Zeitgeist,* but much of it answered to Jiménez's own emotional instability. He later displayed a strong aversion for these poems, but they have enjoyed immense popularity among his Spanish readers.

For the next eight or ten years Jiménez continued to write essentially in the same vein, although in such works as *Elejías* (1908–1910) and *Melancolía* (1910–1911) the sorrow seemed less aesthetic and sentimental, more intense and virile. The appearance, however, of *Diario de un poeta recién casado* (1916) marked a significant new direction in his evolution. Here the rich plastic and musical beauty of the earlier poetry was left behind; the tendency to sentimentality was suppressed; vagueness gave way to exactness, and rhetorical adornment to simplicity and nakedness. *Diario,* written upon the occasion of his first voyage to the United States, is a book about the sea and the sea's revelation of unchanging principles informing the superficial flux of life. Life, like the sea, was ever diverse yet ever the same, and in contemplation of its waters and its sky the poet quieted his fears of death and saw the possibility of salvation through mystic union with the universe.

The great books that followed — *Eternidades, Piedra y cielo, Belleza, La Estación total* — all advance in the same direction, culminating in the extraordinary and profound *Animal de fondo* (1949), where his search for the eternal finally brought him to a sense of mystic oneness with nature and ideal beauty, with the absolute that he called "the true, the sufficient, and the just." Rarely in any language in any age has poetry reached a higher lyrical precision and metaphysical subtlety than in these later works of Juan Ramón Jiménez.

Poetry was the organizing center of Jiménez's entire life. His commitment to it was unfailing, and his faith in it often religious. It was, he came to believe, a means of penetrating life's essential realities and illuminating its obscurest mysteries, of capturing its plenitudes and freeing it from the annihilating flux of time. "Poetry," he once wrote, "is making divine what we have at hand, the beings and things which we have the good fortune to possess, not as ideals to be pursued, but as substances which contain essences." Thus, when Jiménez gave himself to poetry it was not to escape to an ivory tower (except perhaps in his youth) but rather to explore the fullness of life and to assert its fundamental perfections. Over the years, there were moments when his faith did not sustain him. Periods of depression assailed him, and his fear of death was never completely stilled. But more than most writers in our despairing age, Juan Ramón Jiménez, *"el andaluz universal"* as the Spaniards call him, perceived the good of existence, and his poetry became a confession of faith in man and his world.

«Para dar un alivio a estas penas»

Para dar un alivio a estas penas,
que me parten la frente y el alma,
me he quedado mirando a la luna,
a través de las finas acacias.

5 En la luna hay algo que sufre,
entre un nimbo divino de plata:
hay algo que besa los ojos
y que seca, llorando, las lágrimas.

Yo no sé lo que tiene la luna,
10 que acaricia, que duerme y que calma,
y que mira en silencio al rendido,
con inmensas piedades de santa.

Y esta noche, que sufro y que pienso
libertar de esta carne a mi alma,
15 me he quedado mirando a la luna,
a través de las finas acacias.

Arias tristes (1903)

¿Esta música que tocan
en la velada del pueblo,
llega hasta la luna blanca
y triste del cementerio?

Las casas están cerradas, 5
nadie pasa . . . allá en el cielo
tiemblan, lejanas y mudas,
las estrellas . . . ¡Oh! ¡los muertos

que con sus bocas, un día
rojas de sangre, rieron 10
a esta hora, cuando el vals
se abría hacia los luceros!

Muertos que yo conocí,
que yo besé, que me dieron
su mano, que se vestían 15
de seda rosa y . . .

Silencio
para siempre . . . están cerradas
las puertas; allá en el cielo

conversan lejanamente
20 las estrellas. Y está el pueblo

blanco de luna y azul
de madrugada y de sueño,
al son de esta vieja música
que llega hasta el cementerio.

***Pastorales* (*1905*)**

«¡Esta desilusión penetrante y amarga»

¡Esta desilusión penetrante y amarga,
que empieza con la noche y empieza con el día!
¡este horror de vivir una vida tan larga,
siendo tan corta! — ¡y quieta y dorada y vacía! —

¡Sentir el alma llena de flor y de simiente 5
y ver llegar el hielo negativo y eterno!
. . . ¡y saber, sin embargo, que era capaz la frente
de deslumbrar la tierra . . . y el cielo y el infierno!

Elejías (1908–1910)

EL VIAJE DEFINITIVO

. . . Y yo me iré. Y se quedarán los pájaros
cantando;
y se quedará mi huerto, con su verde árbol,
y con su pozo blanco.

5 Todas las tardes, el cielo será azul y plácido;
y tocarán, como esta tarde están tocando,
las campanas del campanario.

Se morirán aquellos que me amaron;
y el pueblo se hará nuevo cada año;
y en el rincón aquel de mi huerto florido y
10 encalado,
mi espíritu errará, nostáljico . . .

Y yo me iré; y estaré solo, sin hogar, sin árbol
verde, sin pozo blanco,
sin cielo azul y plácido . . .
15 Y se quedarán los pájaros cantando.

***Poemas agrestes* (*1910–1911*)**

NOCTURNO

(17 de junio)

Por doquiera que mi alma
navega, o anda, o vuela, todo, todo
es suyo. ¡Qué tranquila
en todas partes, siempre;
ahora en la proa alta 5
que abre en dos platas el azul profundo,
bajando al fondo o ascendiendo al cielo!

¡Oh, qué serena el alma
cuando se ha apoderado,
como una reina solitaria y pura, 10
de su imperio infinito!

Diario de un poeta recién casado (1916)

NOCTURNO SOÑADO

La tierra lleva por la tierra;
mas tú, mar,
llevas por el cielo.

¡Con qué seguridad de luz de plata y oro
5 nos marcan las estrellas
la ruta! — Se diría
que es la tierra el camino
del cuerpo,
que el mar es el camino
10 del alma — .

Sí, parece
que es el alma la sola viajera
del mar, que el cuerpo, solo,
se quedó allá en las playas,
15 sin ella, despidiéndola,
pesado, frío, igual que muerto.

¡Qué semejante
el viaje del mar al de la muerte,
al de la eterna vida!

Piedra y cielo (1917–1918)

REQUIEM

Cuando todos los siglos vuelven,
anocheciendo, a su belleza,
sube al ámbito universal
la unidad honda de la tierra.

Entonces nuestra vida alcanza 5
la alta razón de su existencia:
todos somos reyes iguales
en la tierra, reina completa.

Le vemos la sien infinita,
le escuchamos la voz inmensa, 10
nos sentimos acumulados
por sus dos manos verdaderas.

Su mar total es nuestra sangre,
nuestra carne es toda su piedra,
respiramos su aire uno, 15
su fuego único nos incendia.

Ella está con nosotros todos,
y todos estamos con ella;
ella es bastante para darnos
20 a todos la sustancia eterna.

Y tocamos el cenit último
con la luz de nuestras cabezas
y nos detenemos seguros
de estar en lo que no se deja.

***En el otro costado* (*1936–1942*)**

NOTES*

«Para dar un alivio a estas penas»

The poem is written in *decasílabo dactílico* (verse of ten syllables, with accents on third, sixth, and ninth syllables) with assonance, or vowel rhyme, in ***a-a***. This verse form has an old history and was widely used in Spanish romantic and *modernista* poetry. The *decasílabo dactílico* was especially used in hymns and patriotic poetry, largely because of its strong rhythmic pattern.

1 **alivio** solace.
2 **parten** split.
4 **acacias** *Trees similar to the mimosa, with delicate fernlike leaves and graceful clusters of white, sweet-smelling flowers.*
6 **nimbo** nimbus, halo; **plata** silver.
10 **acaricia** caresses; **duerme** puts to sleep.
11 **el rendido** one who is exhausted, defeated.
12 **piedades de santa** compassion, mercy of a saint.
14 **libertar . . . alma** to free my soul from this flesh.

«¿Esta música que tocan»

The poem is composed in *romance,* or ballad, verse of eight syllables, with the same assonance in even-numbered lines throughout the poem. It goes back to the popular and epic poetry of the Middle Ages and is the most traditional of Spanish verse forms. The *romance* has enjoyed a renascence in modern Spanish literature.

2 **velada** *A nighttime public fiesta, usually with lights, music, and considerable gaiety.*
12 **se abría . . . luceros** made its way towards the morning stars, opened towards the morning stars.
16 **seda rosa** rose silk.
21 **blanco de luna** white with moon.
22 **madrugada** dawn.

* All notes are to line number.

«¡Esta desilusión penetrante y amarga»

This poem is written in *alejandrinos* (fourteen-syllable line with caesura or pause after the seventh syllable), one of the most characteristic and sophisticated verse forms used by the *modernista* poets. The alexandrine was also of common use in Spanish medieval poetry and has always been a classic elegiac verse.

1 **amarga** bitter.
4 **dorada** golden.
5 **simiente** seed.
7–8 **era capaz la frente de:** ***la frente era capaz de.***
8 **deslumbrar** illuminate, enlighten; **infierno** hell.

EL VIAJE DEFINITIVO

The poem is composed of lines of varying length but with assonance in every line.

3 **huerto** garden.
4 **pozo** well.
5 **plácido** placid, tranquil.
7 **campanas** bells; **campanario** bell tower.
9 **se hará nuevo** will renew itself.
10 **rincón aquel:** ***aquel rincón;*** **florido** flowering, with flowers; **encalado** whitewashed.
11 **errará** will wander; **nostáljico:** ***nostálgico*** (*Jiménez idiosyncratically used* **j** *for* **g** *when the latter came before* **e** *or* **i**).
12 **hogar** home.

NOCTURNO

Jiménez has here combined *heptasílabos* (lines of seven syllables) with *endecasílabos* (of eleven syllables), a traditional combination. Notice that there is neither rhyme nor assonance.

nocturno nocturne (*musical composition dealing with night*).
1 **doquiera** wherever (*poetical for* **dondequiera**).
2 **navega** sails, navigates.
5 **proa** prow.
6 **que abre . . . profundo:** ***que abre el azul profundo en dos platas.***
9 **se ha apoderado** has taken control of, gained power over.

NOCTURNO SOÑADO

The poem contains a variety of lines, with neither rhyme nor assonance.

1 **lleva** carries, leads, directs.
2 **mas** but.
4 **seguridad** certainty; **de luz de plata y oro** of silver and golden light.
5–6 **nos . . . ruta** the stars indicate the way for us.
6 **Se diría** One would say, one would believe.
12 **que es el alma:** ***que el alma es; sola*** only, lone.
13 **solo** alone.
14 **allá** back there; **playas** beaches.
16 **pesado** heavy; **igual que** the same as.

REQUIEM

Jiménez has here used the *eneasilabo,* or verse of nine syllables, with assonance.

requiem *Accusative of the Latin* **requies** (rest), *the first word of the Catholic mass for the dead.* **Requiem** *may refer to the mass itself, to the music of the mass, or in a general way to any sublime composition inviting rest and repose.*

1 **siglos** centuries, time.
2 **anocheciendo** becoming night.
3 **ámbito** compass, space.
3–4 **sube . . . tierra:** ***la unidad honda de la tierra sube al ámbito universal.***
4 **honda** deep.
5 **alcanza** attains.
9 **Le vemos la sien infinita** We see her infinite temple (forehead).
11 **nos sentimos acumulados** we feel ourselves brought together and united.
14 **carne** flesh; **piedra** stone.
15 **su aire uno** her air complete and whole (integral).
16 **único** unique, incomparable.
20 **sustancia** substance, essence, idea.
21 **cenit** zenith.
23 **nos detenemos** we stop; **seguros** certain.
24 **en lo que no se deja** in that which is not left behind, which one does not abandon, leave.

PREGUNTAS

«Para dar un alivio a estas penas»

1. ¿Por qué mira el poeta a la luna?
2. Según el poeta, ¿cómo es la luna? ¿Cómo afecta al poeta?
3. ¿Qué paradoja hay en la segunda estrofa? ¿Cómo la explica usted?
4. ¿Por qué mira a través de una acacia y no a través de una higuera, por ejemplo, o de un olivo?
5. El poeta repite al final del poema los mismos versos con que lo empezó. ¿Pero tienen ahora el mismo sentido y el mismo tono? Explique su contestación.
6. Al llegar al último verso, ¿cree usted que el poeta ha encontrado un alivio a sus penas?
7. ¿Cuál es más importante, el paisaje nocturno o el estado de alma del poeta? ¿Cuál es la relación entre los dos?
8. Se ha dicho que la tristeza de Jiménez es una tristeza bella. ¿Qué hay de bello en la tristeza de este poema?
9. ¿Le parece muy sentimental este poema? ¿En qué consiste lo sentimental del poema?

«¿Esta música que tocan»

1. ¿Cuál es el contraste contenido en la primera estrofa?
2. ¿Qué sugieren las estrellas de la tercera estrofa? ¿la indiferencia del cosmos hacia el hombre? ¿el misterio del hombre, de su vida y de su muerte? ¿lo eterno opuesto a lo efímero? ¿los muertos?
3. ¿Sugiere la luna lo mismo que las estrellas, o representa más bien un valor distinto?
4. ¿Qué fuerte contraste hay entre la cuarta y la quinta estrofas? ¿Es esencialmente el mismo contraste que se encuentra

en la primera estrofa? ¿Cómo está subrayado estilísticamente este contraste?

5. En la segunda estrofa el poeta dice que las estrellas están mudas; en la quinta dice que conversan. ¿Cómo explica usted esta diferencia?
6. ¿En qué sentido es «vieja» la música que llega hasta el cementerio?
7. Fíjese en los colores. Comente su importancia y significado.
8. En el poema anterior la luna consolaba al poeta. ¿Consuela en éste? ¿Consuelan las estrellas y los luceros? O al contrario, ¿intensifican la emoción del poeta?
9. ¿Cuál es el tema fundamental del poema? ¿Cuál es el tono fundamental?
10. ¿Le parece este poema menos sentimental que el anterior? Explique su respuesta.

«¡Esta desilusión penetrante y amarga»

1. Gramaticalmente, ¿en qué consiste este poema?
2. ¿Cuáles son los valores del hombre expresados en el poema? ¿Cuál de ellos parece ser el más elevado, según Jiménez?
3. La palabra *negativo* sorprenderá un poco al lector cuidadoso. ¿Por qué? ¿Por qué sería menos eficaz otro adjetivo como, por ejemplo, *destructivo?*
4. ¿Qué contraste de actitud hay entre las dos estrofas?
5. ¿Es este poema una exaltación del hombre o más bien una lamentación de su debilidad e impotencia ante la muerte?
6. Este poema es del libro *Elejías*. ¿Qué hay de elegíaco en él?
7. ¿Qué diferencias de tono, de actitud y de tema se notan entre este poema y los anteriores de Jiménez?

EL VIAJE DEFINITIVO

1. La oposición entre *ir* y *quedar* es fundamental para el poema. ¿Cómo está subrayado este contraste en el primer verso? ¿Cómo se desarrolla el contraste a través del poema entero?

2. De las cosas que se quedarán después de la muerte del poeta, ¿cuál o cuáles parecen impresionarle más profundamente?
3. ¿Cuál es la actitud del poeta frente al hecho de su desaparición definitiva, y la continuidad — eternidad — de la naturaleza? ¿le parece justo? ¿bello? ¿patético? ¿se resigna o se rebela? ¿o se niega a juzgar, limitándose a constatar un hecho irremediable de la vida?
4. ¿Cuál es la relación entre el hombre y la naturaleza en el poema? ¿refleja la naturaleza el alma del hombre? ¿es la naturaleza completamente indiferente al hombre? ¿tienden a identificarse la naturaleza y el hombre?
5. ¿Qué le parece el título del poema? ¿banal? ¿necesario para la comprensión total del poema? ¿superfluo? En su opinión, ¿cuál es la palabra más importante del título, *viaje* o *definitivo*?
6. En sus años maduros, Jiménez sentía una obsesión constante de rehacer y perfeccionar sus poemas. Así es que tenemos versiones diferentes de muchos de ellos. En el libro *Canción* (1936) Jiménez publicó una nueva versión de «El viaje definitivo» pero al hacer su *Tercera antolojía poética* (1957) prefirió la versión primitiva, escrita antes de 1910. Examine la segunda versión, que damos a continuación, y compárela con la primitiva. ¿Qué diferencias hay? ¿Cuál le gusta más? ¿Por qué?

. . . Y yo me iré. Y se quedarán los pájaros
cantando.
Y se quedará mi huerto con su verde árbol
y con su pozo blanco.
Todas las tardes el cielo será azul y plácido,
y tocarán, como esta tarde están tocando,
las campanas del campanario.
Se morirán los que me amaron
y el pueblo se hará nuevo cada año;

y lejos del bullicio distinto, sordo, raro
del domingo cerrado,
del coche de las cinco, de las siestas del baño,
en el rincón secreto de mi huerto florido y encalado,
mi espíritu de hoy errará, nostáljico . . .
Y yo me iré y seré otro, sin hogar, sin árbol
verde, sin pozo blanco,
sin cielo azul y plácido . . .
Y se quedarán los pájaros cantando.

NOCTURNO

1. ¿Dónde se encuentra el poeta? ¿Qué importancia o significado tiene esto?
2. ¿Cuál es el efecto de la repetición de la palabra *todo*? ¿Cuáles son los otros elementos del poema que contribuyen a la idea de totalidad?
3. El poeta dice que su alma está tranquila y serena. ¿Por qué cree usted que está tan serena y tranquila?
4. ¿Cuál es el «imperio infinito» del alma?
5. ¿En que sentido se puede decir que este poema expresa una actitud mística o panteísta?
6. ¿Qué diferencias hay entre este poema y los anteriores?
7. ¿Por qué se llama «Nocturno»?

NOCTURNO SOÑADO

1. ¿A quién se dirige el poeta en la primera estrofa? ¿Y en las demás?
2. Fíjese bien en el uso del verbo *llevar* en la primera estrofa. ¿Qué sentido o sentidos parece tener?
3. Para el poeta, ¿qué simboliza el mar? ¿Qué simboliza un viaje por mar?
4. ¿Cuál es el verso culminante de este poema? Indique el desarrollo del poema hacia esta culminación.
5. ¿Por qué se llama «Nocturno soñado» en vez de «Nocturno»?

6. Compare la actitud de Jiménez ante la muerte en este poema con su actitud ante la muerte en los poemas anteriores.
7. Las poesías de la primera época de Jiménez se caracterizan por lo vago y lo indefinido, todo lo contrario de lo que encontramos en «Nocturno soñado». Señale los varios elementos del carácter preciso y exacto del poema. Si le parece que ha quedado algo de lo vago, señálelo también.

REQUIEM

1. Para el poeta, ¿qué representa el anochecer? ¿Cuál es el máximo valor para el poeta? ¿el ámbito universal? ¿la belleza? ¿la unidad honda de la tierra?
2. ¿Por qué vuelven los siglos a su belleza al anochecer?
3. ¿Qué significa ser reyes iguales en la tierra? ¿que se acaba la democracia? ¿que todos son perfectos? ¿que todos participan igualmente en la belleza de la reina completa? ¿otra cosa?
4. En el verso noveno, ¿de quién es la sien infinita? ¿de la reina completa? ¿de la unidad de la tierra? ¿de la belleza?
5. En la cuarta estrofa, el hombre se hace uno con los cuatro elementos (agua, tierra, aire, fuego). ¿Son todos de igual importancia, o tienen cierta jerarquía de valor?
6. ¿Qué es la sustancia eterna que ella nos da (quinta estrofa)?
7. De los cuatro elementos, ¿cuál le sirve al hombre para tocar el cenit último?
8. ¿Que significa estar en lo que no se deja? ¿Por qué está expresado este concepto impersonalmente? ¿Es impersonal el resto del poema?
9. Las primeras dos estrofas hablan del momento en que la vida alcanza la alta razón de su existencia, y las estrofas siguientes hablan de la razón misma, es decir, de la unión del hombre con la belleza, la esencia, etc. Pero dentro de las últimas estrofas, hay cierta gradación, cierto progreso, hacia el cenit último. Intente usted trazar esa gradación.

10. Examine los adjetivos de este poema. ¿Qué tienen en común? ¿Cuán importantes son para el poema? ¿Por qué? Compare la importancia del adjetivo en este poema con la del nombre y del verbo. Compare también el uso del adjetivo en este poema con su uso en otros poemas de Jiménez.
11. ¿En qué consiste el *requiem*? ¿Tiene algo que ver el poema con la muerte?
12. Examine el ritmo del poema. ¿Cómo contribuye al sentido del poema?

Antonio Machado

Antonio Machado was a timid, simple man, lacking nearly every external sign of grace and brilliance. He dressed shabbily and lived so sparely that some said he must have taken the vow of poverty. He spent much of his life in solitude and silence, given more to contemplation than to action, more to lonely walks in the country than to gay promenades in the city. But in his withdrawal he matured, gathered inner strength, dignity, and purpose. His friends called him *"Machado el bueno,"* and those who knew him well spoke warmly of his extraordinary nobility and integrity. "Good in the best sense of the word," John Dos Passos said of him, "a man entirely of one piece."

By birth he was Andalusian, born in Seville on July 26, 1875. But when he was eight his family moved to Madrid, and although dreamlike memories of the Sevillian parks and fountains lingered on, his character was shaped on the plateaus of central Spain. In Madrid he studied at the famous *Institución Libre de Enseñanza,* where he imbibed its liberal outlook, its lay tolerance and openness, its concern for excellence and for seriousness of vocation. When he was twenty-four he went to Paris for a brief visit, and again when he was twenty-seven, mingling with the artistic and literary circles there. In 1907 he was appointed teacher of French in the provincial town of Soria, high on the plains of Old Castile. Here he at once fell in love with a quiet and lovely young girl, Leonor. They were married two years later, and friends took pleasure in their happiness. But in August of 1912, only three years after they married, Leonor suddenly fell ill and died. Unwilling to remain in Soria after Leonor's death, Machado left for a new teaching post in the central Andalusian town of Baeza. But by now he was too much a Castilian to live in the south; he felt himself an exile in the land of his birth. So in 1915 he left Baeza for Madrid in order to prepare a doctorate in philosophy. Upon its completion three years later, he went to teach in Segovia, where he stayed until the advent of the Spanish Republic. From 1931 to 1936 he resided in Madrid. When the Civil War broke out, he tried in vain to get into the Republican army, in any service, in any capacity. Reluctantly he left Madrid for Valencia. Here he wrote assiduously for the celebrated Republican journal *Hora de España,* and he soon came to be regarded as the Loyalists' clearest and noblest voice. When the Nationalists moved towards Valencia, he was evacuated to Barcelona, but Barcelona was, in turn, also threatened by destruction. So, in January of 1939, shortly before its fall, he left for France, one of the countless thousands of suffering refugees who made their painful way on foot to the border of freedom. He arrived ill and exhausted, and a month later he died in the little French town of Collioure, only a few miles away from his beloved Spain.

Machado's first book of verse was called *Soledades* (1899–1907). Written during the heyday of *Modernismo* with its love of sonorous melody, exotic imagery, and verbal richness, these poems of Machado were in many respects a reaction against that movement. In a preface the young poet explained: "I considered that the poetic element did not lie in the word with its values of sound and color, nor even in the line, nor even in a complex of sensations, but in a deep palpitation of the spirit: what the soul . . . says with its own voice in living response to the surrounding world." The voice of his soul, as we listen to it in *Soledades,* is grandly simple, bare, sober, and intense. Its themes are its own ambiguities and illusions, its memories, dreams, and inevitable death. But the central concern from which these themes derive is time, the temporality of all life and existence. The dreams and memories of *Soledades* were the poet's effort to recapture time past, which he did in an almost Proustian sense and manner. Yet he knew no way of redeeming the moment when time should destroy him, and so there are also poems in *Soledades* that voice his anguish before the inexorable march of time towards death and extinction.

Machado's next volume of poetry was *Campos de Castilla,* which, in its final form, included poems written between 1907 and 1917. These poems, still more austere and lean, were the fruit of the poet's experience in Soria and Baeza. The Soria poems reflect the love he had come to feel for Castile, her people, her towns, and her lands — *"tierras tan pobres, que tienen almas."* To be sure, the image that emerges is often grim. With implacable realism Machado shows the insane, the poor, the criminal, and cruelly contrasts the land's past glory with its present misery:

> *La madre en otro tiempo fecunda en capitanes*
> *madrastra es hoy apenas de humildes ganapanes.*
> . . .
> *Castilla miserable, ayer dominadora,*
> *envuelta en sus harapos desprecia cuanto ignora.*

But such severe criticism is made in the context of Machado's enormous faith in the capacity of *"la España eterna"* for resurrection and renewal. In one of his finest poems, «El mañana efímero,» he proclaimed the advent of the new Spain, *"la España del cincel y de la maza . . . implacable y redentora . . ."* In this book of verse concerned primarily with Spain, there are also a few poems of a more personal nature. There is an especially lovely one on the death of his wife and another on the tedium and stress of life in Baeza.

When Machado left for Segovia in 1919, his best poetry was behind him. Although he continued to write excellent verse, his concerns had become more philosophical than lyrical. He turned to epigrams and aphorisms and invented a series of fascinating doubles to whom he attributed his metaphysical musings. During the Civil War he wrote several fine poems inspired in the welter of conflict, including the magnificent elegy on the death of García Lorca, «El crimen fue en Granada,» and the tender lament on the death of a wounded child, «La muerte del niño herido.»

«Yo escucho los cantos»

Yo escucho los cantos
de viejas cadencias,
que los niños cantan
cuando en coro juegan,
5 y vierten en coro
sus almas que sueñan,
cual vierten sus aguas
las fuentes de piedra:
con monotonías
10 de risas eternas,
que no son alegres,
con lágrimas viejas,
que no son amargas
y dicen tristezas,
15 tristezas de amores
de antiguas leyendas.

En los labios niños,
las canciones llevan
confusa la historia
20 y clara la pena;

como clara el agua
lleva su conseja
de viejos amores,
que nunca se cuentan.

Jugando, a la sombra 25
de una plaza vieja,
los niños cantaban . . .

La fuente de piedra
vertía su eterno
cristal de leyenda. 30

Cantaban los niños
canciones ingenuas,
de un algo que pasa
y que nunca llega:
la historia confusa 35
y clara la pena.

Seguía su cuento
la fuente serena;
borrada la historia,
contaba la pena. 40

Soledades (1899–1907)

«Leyendo un claro día»

Leyendo un claro día
mis bien amados versos,
he visto en el profundo
espejo de mis sueños

5 que una verdad divina
temblando está de miedo,
y es una flor que quiere
echar su aroma al viento.

El alma del poeta
10 se orienta hacia el misterio.
Sólo el poeta puede
mirar lo que está lejos
dentro del alma, en turbio
y mago sol envuelto.

15 En esas galerías,
sin fondo, del recuerdo,
donde las pobres gentes
colgaron cual trofeo

el traje de una fiesta
apolillado y viejo, 20
allí el poeta sabe
el laborar eterno
mirar de las doradas
abejas de los sueños.

Poetas, con el alma 25
atenta al hondo cielo,
en la cruel batalla
o en el tranquilo huerto,

la nueva miel labramos
con los dolores viejos, 30
la veste blanca y pura
pacientemente hacemos,
y bajo el sol bruñimos
el fuerte arnés de hierro.

El alma que no sueña, 35
el enemigo espejo,
proyecta nuestra imagen
con un perfil grotesco.

Sentimos una ola
40 de sangre, en nuestro pecho,
que pasa . . . , y sonreímos,
y a laborar volvemos.

***Soledades* (*1899–1907*)**

«Eran ayer mis dolores»

Eran ayer mis dolores
como gusanos de seda
que iban labrando capullos;
hoy son mariposas negras.

¡De cuántas flores amargas 5
he sacado blanca cera!
¡Oh tiempo en que mis pesares
trabajaban como abejas!

Hoy son como avenas locas
o cizaña en sementera, 10
como tizón en espiga,
como carcoma en madera.

¡Oh tiempo en que mis dolores
tenían lágrimas buenas,
y eran como agua de noria 15
que va regando una huerta!
Hoy son agua de torrente
que arranca el limo a la tierra.

Dolores que ayer hicieron
20 de mi corazón colmena,
hoy tratan mi corazón
como a una muralla vieja:
quieren derribarlo, y pronto,
al golpe de la piqueta.

***Soledades* (*1899–1907*)**

«¡Soria fría, *Soria pura*»

¡Soria fría, *Soria pura,*
cabeza de Extremadura,
con su castillo guerrero
arruinado, sobre el Duero;
con sus murallas roídas 5
y sus casas denegridas!

¡Muerta ciudad de señores
soldados o cazadores;
de portales con escudos
de cien linajes hidalgos, 10
y de famélicos galgos,
de galgos flacos y agudos,
que pululan
por las sórdidas callejas,
y a la medianoche ululan, 15
cuando graznan las cornejas!

¡Soria fría! La campana
de la Audiencia da la una.
Soria, ciudad castellana
¡tan bella!, bajo la luna. 20

***Campos de Castilla* (1907–1917)**

«Una noche de verano»

Una noche de verano
— estaba abierto el balcón
y la puerta de mi casa —
la muerte en mi casa entró.
5 Se fué acercando a su lecho
— ni siquiera me miró —,
con unos dedos muy finos,
algo muy tenue rompió.
Silenciosa y sin mirarme,
10 la muerte otra vez pasó
delante de mí. «¿Qué has hecho?»
La muerte no respondió.
Mi niña quedó tranquila,
dolido mi corazón.
15 ¡Ay, lo que la muerte ha roto
era un hilo entre los dos!

***Campos de Castilla* (1907–1917)**

PARÁBOLA

Era un niño que soñaba
un caballo de cartón.
Abrió los ojos el niño
y el caballito no vió.
Con un caballito blanco 5
el niño volvió a soñar;
y por la crin lo cogía. . .
«¡Ahora no te escaparás!»
Apenas lo hubo cogido,
el niño se despertó. 10
Tenía el puño cerrado.
¡El caballito voló!
Quedóse el niño muy serio
pensando que no es verdad
un caballito soñado. 15
Y ya no volvió a soñar.
Pero el niño se hizo mozo
y el mozo tuvo un amor,
y a su amada le decía:
«¿Tú eres de verdad o no?» 20

Cuando el mozo se hizo viejo
pensaba: «Todo es soñar,
el caballito soñado
y el caballo de verdad.»
25 Y cuando vino la muerte,
el viejo a su corazón
preguntaba: «¿Tú eres sueño?»
¡Quién sabe si despertó!

***Campos de Castilla* (1907–1917)**

LOS OJOS

Cuando murió su amada
pensó en hacerse viejo
en la mansión cerrada,
solo, con su memoria y el espejo
donde ella se miraba un claro día. 5
Como el oro en el arca del avaro,
pensó que guardaría
todo un ayer en el espejo claro.
Ya el tiempo para él no correría.

Mas, pasado el primer aniversario, 10
¿cómo eran — preguntó —, pardos o negros,
sus ojos? ¿Glaucos? . . . ¿Grises?
¿Cómo eran, ¡Santo Dios!, que no recuerdo? . . .

Salió a la calle un día
de primavera, y paseó en silencio 15
su doble luto, el corazón cerrado . . .
De una ventana en el sombrío hueco
vió unos ojos brillar. Bajó los suyos
y siguió su camino . . . ¡Como ésos!

***Nuevas canciones* (*1917–1930*)**

NOTES

«Yo escucho los cantos»

The verse is the *hexasílabo* (of six syllables), with assonance.

1 **cantos** songs.
2 **cadencias** cadences.
4 **en coro** in a chorus.
5 **vierten** pour, translate into (*from* ***verter***).
7 **cual** as.
13 **amargas** bitter.
16 **antiguas** old, ancient.
17 **labios niños** lips of children.
18–20 **las canciones . . . pena** the songs carry (convey) confused history and clear pain.
22 **conseja** fable, story.
32 **ingenuas** naïve, innocent.
37–38 **Seguía . . . serena:** ***La fuente serena seguía su cuento.***
39 **borrado** erased, gone.
40 **contaba** *Subject is* ***la fuente serena.***

«Leyendo un claro día»

Machado here uses the *heptasílabo,* with assonance.

1 **claro** luminous, limpid (*a favorite word of Machado*).
4 **espejo** mirror.
6 **temblando está:** ***está temblando.***
8 **echar** to cast, throw.
10 **se orienta** is oriented, turns toward.
13 **turbio** turbid, not clear.
13–14 **en turbio . . . envuelto:** ***envuelto en turbio y mago sol***
14 **mago** magical.
15 **galerías** galleries, halls.
16 **fondo** bottom.

18 **colgaron** hung; **cual trofeo** like a trophy.
20 **apolillado** moth-eaten.
21–24 **allí . . . sueños:** ***allí el poeta sabe mirar el laborar eterno de las doradas abejas de los sueños.***
22 **laborar** to work, build, make.
23 **doradas** golden.
24 **abejas** bees.
26 **atento** attentive to, fixed on; **hondo** deep.
28 **huerto** garden.
29 **miel** honey; **labramos** we make, prepare.
31 **veste** dress (*poetic for* ***vestido***).
33 **bruñimos** we polish.
34 **arnés de hierro** steel armor.
38 **perfil grotesco** grotesque profile.
39 **ola** wave.
40 **pecho** chest.
42 **a laborar volvemos:** ***volvemos a laborar*** we return to our labor.

«Eran ayer mis dolores»

This is a fine example of Machado's use of the *romance*.
1 **Eran . . . dolores:** ***mis dolores eran ayer.***
2 **gusanos de seda** silkworms.
3 **iban** *graphic substitute for* ***estaban; capullos*** cocoons of silkworms.
4 **mariposas** butterflies.
6 **cera** wax.
7 **pesares** pains, suffering.
9 **avenas** oats.
10 **cizaña en sementera** darnel in a field sown and cultivated.
11 **tizón en espiga** smut in wheat pod.
12 **carcoma en madera** woodborer in wood.
15 **noria** a deep well.
16 **regando** watering, irrigating; ***huerta*** orchard.
18 **arranca el limo a** tears the mud, top soil, from.
20 **de mi corazón colmena** a beehive out of my heart.
22 **muralla** wall.
23 **derribarlo** to knock it down.
24 **al golpe de la piqueta** with the blows of a pickaxe.

«¡**Soria fría,** ***Soria pura***»

With one slight and significant variation, this poem is written in rhymed octosyllables.

1 **Soria** *Capital of the province of the same name, high on the plains of Old Castile, some 135 miles northeast of Madrid. Soria boasts many magnificent buildings and monuments from the past, but most are in ruins.*

2 **cabeza** head, extremity; **Extremadura** *Today, a province in western Spain along the Portuguese border. But in the Middle Ages it was an ill-defined area, which often was meant to include lands farther to the east in what is today Old and New Castile. Thus, it is from an historical perspective that Soria is the* ***cabeza de Extremadura.*** *The words written in italics in the poem,* ***Soria pura / cabeza de Extremadura,*** *are taken from the legend on the city's coat of arms.*

3 **guerrero** warrior.

4 **arruinado** in ruins; **el Duero** river that passes by Soria.

5 **murallas roídas** crumbling walls (***roer*** to gnaw, eat away at, corrode).

6 **denegridas** blackened.

8 **cazadores** hunters.

9 **portales** doorways, principal entrances; **escudos** coats of arms.

10 **linajes hidalgos** noble lines, noble families.

11 **famélicos galgos** famished greyhounds.

12 **flacos** lean; **agudos** pointed, fleet.

13 **pululan** swarm, abound.

14 **callejas** alleys, narrow streets.

15 **ululan** howl.

16 **graznan** caw; **cornejas** crows.

17 **campana** bell.

18 **Audiencia** court house; **de la una** strikes one o'clock.

«**Una noche de verano**»

Another example of Machado's use of the *romance*.

5 **Se fué acercando** was approaching; **lecho** bed.

6 **ni siquiera me miró** did not even look at me.

7 **dedos** fingers.

8 **tenue** tenuous, thin, slender.

16 **hilo** thread.

PARÁBOLA

Another example of Machado's use of the *romance.*

parábola parable.

1 **Era un niño** There was once a child.

1–2 **soñaba un caballo de cartón** dreamed of a cardboard horse.

4 **el caballito no vió:** ***no vió el caballito.***

6 **volvió a soñar** dreamed again.

7 **crin** mane.

11 **puño** fist.

12 **voló** flew away, disappeared.

13 **Quedóse:** ***se quedó.***

14 **verdad** real.

16 **ya no** no longer.

17 **se hizo mozo** became a young man.

20 **de verdad** real.

28 **despertó** woke up.

LOS OJOS

Machado has here combined *heptasílabos* and *endecasílabos,* and, in an unusual fashion, both rhyme and assonance.

1 **amada** beloved.

2 **pensó en hacerse viejo** thought he would grow old.

5 **claro** luminous, limpid (*a favorite word of Machado*).

6 **el arca del avaro** the chest (coffer) of a greedy man.

8 **todo un ayer** an entire yesterday, the past in its entirety.

10 **mas** but.

11 **pardos** grey, brown.

12 **glaucos** pale green.

16 **luto** mourning.

17 **sombrío hueco** dark hole, opening.

17–18 **De una ventana . . . brillar:** ***vió unos ojos brillar en el sombrío hueco de una ventana.***

18 **vió unos ojos brillar** he saw some eyes shine.

PREGUNTAS

«Yo escucho los cantos»

1. ¿Dónde se encuentra el poeta? ¿Qué hace?
2. ¿Qué parecidos ve el poeta entre los niños y la fuente?
3. ¿Cómo son las risas y las lágrimas de las canciones?
4. ¿Qué relación hay entre los niños y el pasado?
5. ¿Por qué dice el poeta que los niños llevan confusa la historia y clara la pena? ¿Por qué son ingenuas sus canciones?
6. ¿Qué cree usted que siente el poeta al escuchar las canciones de los niños?
7. ¿Cuál es la pena que cuentan la fuente y los niños?
8. ¿Cuál es el tema fundamental del poema?

«Leyendo un claro día»

1. ¿Cómo describe Machado su poesía en la primera estrofa?
2. ¿Qué añade la segunda estrofa a esta descripción?
3. ¿Qué paradojas hay en la tercera estrofa? ¿Cómo las explica usted?
4. ¿Cómo se diferencian el poeta y «las pobres gentes» al enfrentarse con el pasado y el recuerdo?
5. ¿Cuál es el efecto del adjetivo *apolillado*? ¿Por qué habrá escogido Machado precisamente este adjetivo en vez de otro como *polvoriento,* por ejemplo?
6. En la octava estrofa, ¿qué es el enemigo espejo? ¿Por qué es enemigo?
7. ¿Por qué sonríen los poetas al sentir una ola de sangre en su pecho?

8. ¿Qué sugiere este poema en cuanto a la realidad del mundo objetivo y en cuanto a la realidad del mundo de los sueños?
9. ¿Qué concepto tiene Machado del poeta y de la poesía según este poema?

«Eran ayer mis dolores»

1. ¿Qué símiles y metáforas emplea Machado para describir sus dolores de ayer? ¿Implican una valoración negativa o afirmativa de ellos?
2. ¿Qué símiles y metáforas emplea el poeta para describir sus dolores de ahora? ¿Implican una valoración negativa o afirmativa de ellos?
3. ¿En qué consiste la diferencia entre los dolores de ayer y los de ahora? ¿Radica la diferencia en el dolor mismo o en la reacción del poeta al dolor?
4. ¿Cuál es el tono fundamental de este poema?
5. Compare este poema con el poema anterior.

«¡Soria fría, *Soria pura*»

1. ¿Qué aspectos de Soria destaca Machado en la primera estrofa?
2. ¿Cómo intensifica la descripción de estos aspectos en la segunda estrofa?
3. ¿Por qué habla precisamente de galgos, y no de otros animales?
4. Con la excepción del verso trece, todos los versos del poema son octosilábicos. ¿Cuál es el efecto de esta excepción?
5. ¿Qué añade la presencia de las cornejas?
6. El poeta acaba diciendo que Soria es «tan bella». ¿Ha hablado antes en el poema de la belleza de Soria? ¿Cree usted que el poeta ahora ve la ciudad verdaderamente bella, o que lo dice con ironía? Explique su contestación.
7. ¿Qué importancia tienen el frío, la campana, y la luna?
8. ¿Cuál es la actitud fundamental del poeta hacia Soria?

«Una noche de verano»

1. ¿Qué cuenta el poeta en estos versos?
2. ¿Qué sugiere el poeta cuando nos dice que la puerta y el balcón de su casa estaban abiertos?
3. ¿Cuáles son los verbos que describen las acciones de la muerte? ¿Quería el poeta que se destacaran los verbos en el poema? ¿Por qué?
4. El hilo cortado tiene una larga tradición como símbolo de la muerte. ¿Qué diferencia hay entre el significado clásico de este símbolo y su significado en este poema? ¿En qué momento del poema se da cuenta el lector de que Machado ha cambiado la imagen clásica?
5. ¿Qué concepto tiene Machado de la muerte, según este poema?

PARÁBOLA

1. ¿Cuáles son los dos sueños del niño?
2. El niño pierde su fe en el mundo de los sueños, dudando su realidad. ¿Cuál es la realidad de que duda el mozo?
3. ¿Cuál es la realidad de que duda el viejo?
4. ¿Qué tono tiene el último verso? ¿de angustia? ¿de resignación? ¿de desesperanza?
5. ¿Cuál es el tema fundamental del poema?
6. Retóricamente, ¿es sencillo o complicado el poema? ¿Qué efecto tiene esta sencillez o complejidad?

LOS OJOS

1. ¿Qué pensó hacer el amante cuando murió su amada?
2. ¿Qué significa «el espejo / donde ella se miraba un claro día»?
3. En el momento de la muerte de su amada, ¿qué idea tiene el amante de la memoria? ¿Qué poder o capacidad le atribuye?

4. ¿Qué preguntó después del primer aniversario de la muerte?
5. ¿Qué idea tiene ahora el amante del recuerdo?
6. ¿Por qué tenía un *doble* luto?
7. Dice el poeta que al ver los ojos que le recordaron los de su amada, «bajó los suyos / y siguió su camino . . .». En su opinión, ¿por qué siguió su camino en vez de detenerse y tratar de ver más?
8. ¿Cuál es el tema fundamental del poema? ¿el tiempo? ¿el recuerdo? ¿la muerte de la amada? ¿la reacción del amante? ¿los ojos de la amada? Explique su contestación.
9. Compare la idea del recuerdo en este poema con la que ha visto en otros poemas de Machado.
10. Machado ha empleado rima en la primera estrofa, asonancia en la segunda y en la tercera. ¿Por qué?

Federico García Lorca

Federico García Lorca was born in Fuente Vaqueros, a small town west of Granada, on June 5, 1898. At the age of two he was learning Andalusian folk songs from the family servants, at five he was constructing miniature theaters and astounding the household with his own little dramas, and a few years later he was on the way to becoming an accomplished pianist. At the *colegio* and later at the University of Granada, he was an indifferent student, for by then his only interests were music and literature. In 1919 he left for Madrid to live in the *Residencia de Estudiantes,* a Spanish version of an Oxford college. Though no more a student here than at Granada, he found at the *Residencia* something of decisive importance: an intelligent and admiring audience, eager to listen to his poems and concerts for hours on end. He was an enormous success. With such an audience, he had no need to publish his poems, and so it was that in his countless recitals, spontaneous and exuberant, Lorca became a modern troubador, reading his poems aloud, acting them out, accompanying himself at the piano. Within a few years, although he had published only a handful of poems, he was the most admired young poet in Spain, and his verses passed from mouth to mouth in the manner of an oral tradition. It was only at the insistence of friends that he finally permitted the publication of some of them: *Canciones* in 1927, and the *Romancero gitano* in 1928.

Shortly afterwards, Lorca went through a period of extreme emotional stress, which led to the sudden decision to go to New York. Arriving in June of 1929, his encounter with the turbulent American metropolis moved him to the depths of his being, a fact to which the strange and violent poems of the *Poeta en Nueva York* bear witness. In the spring of 1930, Lorca, apparently with his emotional crisis under control, returned to Spain to begin the most creative period of his work. These were the years of his great poetic tragedies — *Bodas de sangre, Yerma, La casa de*

Bernarda Alba — and some of his finest poetry, including the *Llanto por Ignacio Sánchez Mejías,* one of the most sublime elegies ever written.

In July of 1936, in spite of the explosive political situation and against the warning of friends, Lorca went as usual to Granada to celebrate his saint's day. On the 17th of that month the Nationalist revolt began, and by August Granada had fallen. Though Lorca had never concerned himself with politics, he was a friend of many left-wing intellectuals and, therefore, knew his life to be in danger. Accordingly, he took refuge in the home of Falangist friends, but to no avail. By order of the civil governor, he died before a Fascist firing squad on the morning of August 19. He was buried in a common grave — unmarked to this day — near the village of Viznar, a few miles from Granada.

Lorca's earliest poems, those written between 1915 and 1920, were published in 1921 under the title *Libro de poemas.* There is much of the early Jiménez in these poems, although their nostalgia and despair are usually less disconsolate. They are, for the most part, landscape poems, which evoke the longings, disappointments, and hidden fears of the poet's inner world. The tone is usually subdued and even whimsical, and the poet often reveals a delicate Franciscan love for the little things of the world about him — its frogs, snails, ants, and mosquitoes.

The next volume was *Poema del cante jondo,* written in 1921–1922, but characteristically left unpublished until 1931. As the title suggests, these are poems deeply rooted in the tradition of Andalusian "deep song," in which the anonymous poet, as Lorca once said, was able to capture in three or four verses "toda la rara complejidad de los más altos momentos sentimentales en la vida del hombre." These are poems of the gypsy world, its violence and its passion, its mystery, and its profound and abiding anguish. Written with extraordinary economy, they are yet rich in imagery and often extremely subtle in musical effects.

From 1921 to 1924 Lorca was at work on the poems published in 1927 under the title *Canciones,* a volume of considerable range and variety. The complexity of imagery and emotion of these poems is often startling. Many of them, highly enigmatic, seem to be born of the poet's dream world and to be looking forward to a surrealistic manner. Much of the traditional world of the *cante jondo* is here, but refined and more artistically elaborated. Other poems are reminiscent of the adolescent *Libro de poemas,* though less diffuse and nostalgic, more controlled and disciplined.

The *Romancero gitano,* composed in 1924–1927 and published in 1928, is Lorca's most characteristic work. The theme is again the Andalusian gypsy, but it is treated with a dramatic force and daring that had only been hinted at in his previous poetry. The narrative element is greatly expanded, the musical effects are bolder and more varied, and the imagery reaches new heights of brilliance. This is Lorca's mature work, in which he was able, with consummate technical skill and poetic grace, to give to the traditional materials a tone and idiom distinctively modern, original, and personal.

The enormous success of the *Romancero gitano* was a burden for Lorca. He did not want to be known simply as a gypsy poet and so began searching for new materials and new means of expression. His journey to the United States provided both. The poems of *Poeta en Nueva York* — tortured, incoherent, and chaotic — were in perfect response to the poet's vision of that city: a grotesque nightmare world in which man's soul has been hideously mutilated by the machine and asphalt culture. These are Lorca's most difficult poems, but few modern poets have expressed so forcefully the tormented and rootless existence of much that is our contemporary America.

Of the poetry Lorca wrote after returning to Spain, the most notable was the great elegy, *Llanto por Ignacio Sánchez Mejías.* It was his longest single poem, and in the opinion of many, his finest. Written in four parts in the manner of a symphony, it records the poet's transmutation of grief into final beauty and affirmation. Lorca wrote this poem in 1935, at the height of his powers. When he died a year later, his friends inevitably saw in its concluding verses an appropriate epitaph for Lorca himself:

> *Tardará mucho tiempo en nacer, si es que nace,*
> *un andaluz tan claro, tan rico de aventura . . .*

LA GUITARRA

Empieza el llanto
de la guitarra.
Se rompen las copas
de la madrugada.
5 Empieza el llanto
de la guitarra.
Es inútil callarla,
Es imposible
callarla.
10 Llora monótona
como llora el agua,
como llora el viento
sobre la nevada.
Es imposible
15 callarla.
Llora por cosas
lejanas.
Arena del Sur caliente
que pide camelias blancas.

Llora flecha sin blanco, 20
la tarde sin mañana,
y el primer pájaro muerto
sobre la rama.
¡Oh guitarra!
Corazón malherido 25
por cinco espadas.

Poema del cante jondo (1921)

PUEBLO

Sobre el monte pelado
un calvario.
Agua clara
y olivos centenarios.
5 Por las callejas
hombres embozados,
y en las torres
veletas girando.
Eternamente
10 girando.
¡Oh pueblo perdido,
en la Andalucía del llanto!

Poema del cante jondo (1921)

SORPRESA

Muerto se quedó en la calle
con un puñal en el pecho.
No lo conocía nadie.
¡Cómo temblaba el farol!
Madre. 5
¡Cómo temblaba el farolito
de la calle!
Era madrugada. Nadie
pudo asomarse a sus ojos
abiertos al duro aire. 10
Que muerto se quedó en la calle
que con un puñal en el pecho
y que no lo conocía nadie.

Poema del cante jondo (1921)

CANCIÓN DE JINETE

Córdoba.
Lejana y sola.

Jaca negra, luna grande,
y aceitunas en mi alforja.
5 Aunque sepa los caminos
yo nunca llegaré a Córdoba.

Por el llano, por el viento,
jaca negra, luna roja.
La muerte me está mirando
10 desde las torres de Córdoba.

¡Ay qué camino tan largo!
¡Ay mi jaca valerosa!
¡Ay, que la muerte me espera,
antes de llegar a Córdoba!

15 Córdoba.
Lejana y sola.

Canciones (1921–1924)

ROMANCE DE LA LUNA, LUNA

La luna vino a la fragua
con su polisón de nardos.
El niño la mira, mira.
El niño la está mirando.
En el aire conmovido 5
mueve la luna sus brazos
y enseña, lúbrica y pura,
sus senos de duro estaño.
Huye luna, luna, luna.
Si vinieran los gitanos, 10
harían con tu corazón
collares y anillos blancos.
Niño, déjame que baile.
Cuando vengan los gitanos,
te encontrarán sobre el yunque 15
con los ojillos cerrados.
Huye luna, luna, luna,
que ya siento sus caballos.
Niño, déjame, no pises
mi blancor almidonado. 20

El jinete se acercaba
tocando el tambor del llano.
Dentro de la fragua el niño,
tiene los ojos cerrados.

25 Por el olivar venían,
bronce y sueño, los gitanos.
Las cabezas levantadas
y los ojos entornados.

¡Cómo canta la zumaya,
30 ay cómo canta en el árbol!
Por el cielo va la luna
con un niño de la mano.

Dentro de la fragua lloran,
dando gritos, los gitanos.
35 El aire la vela, vela,
el aire la está velando.

Romancero gitano **(*1924–1927*)**

REYERTA

En la mitad del barranco
las navajas de Albacete,
bellas de sangre contraria,
relucen como los peces.
Una dura luz de naipe 5
recorta en el agrio verde,
caballos enfurecidos
y perfiles de jinetes.
En la copa de un olivo
lloran dos viejas mujeres. 10
El toro de la reyerta
se sube por las paredes.
Angeles negros traían
pañuelos y agua de nieve.
Angeles con grandes alas 15
de navajas de Albacete.
Juan Antonio el de Montilla
rueda muerto la pendiente,
su cuerpo lleno de lirios
y una granada en las sienes. 20
Ahora monta cruz de fuego,
carretera de la muerte.

El juez, con guardia civil,
por los olivares viene.
25 Sangre resbalada gime
muda canción de serpiente.
Señores guardias civiles:
aquí pasó lo de siempre.
Han muerto cuatro romanos
30 y cinco cartagineses.

La tarde loca de higueras
y de rumores calientes
cae desmayada en los muslos
heridos de los jinetes.
35 Y ángeles negros volaban
por el aire del poniente.
Angeles de largas trenzas
y corazones de aceite.

***Romancero gitano* (*1924–1927*)**

PRENDIMIENTO DE ANTOÑITO EL CAMBORIO EN EL CAMINO DE SEVILLA

Antonio Torres Heredia,
hijo y nieto de Camborios,
con una vara de mimbre
va a Sevilla a ver los toros.
Moreno de verde luna 5
anda despacio y garboso.
Sus empavonados bucles
le brillan entre los ojos.
A la mitad del camino
cortó limones redondos, 10
y los fué tirando al agua
hasta que la puso de oro.
Y a la mitad del camino,
bajo las ramas de un olmo,
guardia civil caminera 15
lo llevó codo con codo.

El día se va despacio,
la tarde colgada a un hombro,
dando una larga torera
sobre el mar y los arroyos. 20

Las aceitunas aguardan
la noche de Capricornio,
y una corta brisa, ecuestre,
salta los montes de plomo.
25 Antonio Torres Heredia,
hijo y nieto de Camborios,
viene sin vara de mimbre
entre los cinco tricornios.

Antonio, ¿quién eres tú?
30 Si te llamaras Camborio,
hubieras hecho una fuente
de sangre con cinco chorros.
Ni tú eres hijo de nadie,
ni legítimo Camborio.
35 ¡Se acabaron los gitanos
que iban por el monte solos!
Están los viejos cuchillos
tiritando bajo el polvo.

A las nueve de la noche
40 lo llevan al calabozo,
mientras los guardias civiles
beben limonada todos.

Y a las nueve de la noche
le cierran el calabozo,
mientras el cielo reluce 45
como la grupa de un potro.

Romancero gitano (1924–1927)

NOTES

LA GUITARRA

This poem is from the section of the *Poema del cante jondo* called «Poema de la siguiriya gitana.» The *siguiriya gitana* is perhaps the most desolate and sad of the *cante jondo* songs. «La guitarra,» like the *siguiriya,* is composed of verses of varying length, but none exceeding the octosyllable.

1 **Empieza el llanto: *el llanto empieza; llanto*** lament, weeping
3–4 **copas de la madrugada** the wine cups of dawn.
7 **callarla** to hush, silence it.
13 **nevada** snowfall.
17 **lejanas** distant.
18 **arena** sand.
20 **flecha sin blanco** arrow without target.
23 **rama** branch.
25 **malherido** grievously wounded.
26 **espadas** swords.

PUEBLO

«Pueblo» is from the «Poema de la soleá» (*soleá* being the popular form of *soledad*) of *Poema del cante jondo*. The *soleá* is often thought of as the principal style of flamenco music. Today it is also one of the more sorrowful song styles of the *cante jondo,* and, contrary to Lorca's «Pueblo,» is usually written in *romance*.

1 **pelado** naked, treeless, bare.
2 **calvario** Calvary, Via Crucis.
4 **olivos centenarios** century-old olive trees.
5 **callejas** narrow streets.
6 **embozados** cloaked, muffled up.
8 **veletas girando** weather vanes whirling, rotating.

SORPRESA

«Sorpresa» also comes from the «Poema de la soleá.»

2 **puñal** dagger; **pecho** chest.

4 **farol** street lamp.
8 **madrugada** break of day, dawn.
9 **asomarse a** to approach, come up to, appear at.
11 **Que muerto** *The word* **que** *serves to intensify the emotion evoked by* **muerto.**

CANCIÓN DE JINETE

Lorca has used the *romance* form here. Note that the first two and last two lines are in reality a split *octosílabo.*

1 **Córdoba** *One of the major cities of Andalusia, often associated by Lorca with death.*
2 **sola** lonely, alone.
3 **jaca** pony.
4 **aceitunas** olives; **alforja** saddle bag.
7 **Por el llano** Over the plain.
12 **valerosa** brave, courageous.

ROMANCE DE LA LUNA, LUNA

This, of course, is a *romance.*

1 **fragua** forge.
2 **polisón** bustle; **nardos** tuberoses (*a fragrant, white lilylike flower*).
5 **conmovido** moved (by emotion), disturbed.
7 **lúbrica** voluptuous.
8 **senos** breasts; **estaño** tin.
10 **gitanos** gypsies.
12 **collares y anillos** necklaces and rings.
13 **déjame que baile** let me dance.
15 **yunque** anvil.
18 **que** because, for; **siento** I hear.
19 **no pises** don't step on.
20 **blancor almidonado** starched whiteness.
21 **se acercaba** approached, was approaching.
22 **el tambor del llano** the drum of the plain.
25 **olivar** olive grove.
26 **bronce** bronze.
28 **entornados** half-closed, uplifted, as in ecstasy.
29 **zumaya** owl.
35 **vela** watches, watches over.

REYERTA

This, too, is a *romance*.

reyerta fight, brawl.

1 **barranco** ravine.

2 **navajas de Albacete** knives from Albacete (*city in southeast Spain long famous for its knives*).

3 **sangre contraria** blood of rivals, enemies' blood.

4 **relucen** shine, glimmer; **peces** fish.

5 **naipe** playing card.

6 **recorta** cuts, cuts out, outlines; **agrio** acid, sour, sharp.

8 **perfiles** profiles, outlines.

9 **copa** top, crest.

11 **toro** bull.

12 **se sube por las paredes** climbs the walls, goes wild, berserk.

14 **pañuelos** kerchiefs, handkerchiefs; **agua de nieve** melted snow, snow water.

15 **alas** wings.

17 **Juan Antonio el de Montilla** Juan Antonio, the one from Montilla (*town in Andalusia*).

18 **rueda muerto la pendiente** rolls down the slope dead.

19 **lirios** lilies.

20 **granada** pomegranate; **sienes** brow, temples.

21 **monta** rides, mounts.

22 **carretera de la muerte** highway of death.

23 **juez** judge; **guardia civil** rural police in Spain, traditional enemy of the gypsy.

24 **olivares** olive groves.

25 **Sangre resbalada gime** Slippery blood moans (***gime,*** *from* ***gemir*** to moan).

26 **muda** mute, silent.

28 **lo de siempre** the same old story.

30 **cartagineses** Carthaginians.

31 **La tarde loca de higueras** The afternoon mad (insane) with fig trees.

33 **cae desmayada** falls in a faint, fainting; **muslos** thighs.

34 **heridos** wounded.

36 **poniente** west.

37 **trenzas** tresses.

38 **aceite** oil.

PRENDIMIENTO DE ANTOÑITO EL CAMBORIO

Another fine example of Lorca's use of the *romance*.

prendimiento arrest.

2 **nieto** grandson.
3 **vara de mimbre** reed cane.
4 **ver los toros** to see a bullfight.
5 **moreno** dark, swarthy.
6 **garboso** jauntily, elegantly.
7 **empavonados bucles** oily curly locks.
8 **le brillan entre los ojos** shine between his eyes.
9 **A la mitad** halfway.
10 **redondos** round.
11 **los fué tirando** went throwing them.
12 **la puso de oro** made it golden.
14 **ramas de un olmo** branches of an elm tree.
15 **guardia civil caminera** Civil Guard patrolling the road, on foot.
16 **codo con codo** with elbows bound together.
18 **colgada a un hombro** hung from a shoulder.
19 **larga** *Name of a pass made by a bullfighter, which involves the sweeping movement of the cape.*
20 **arroyos** streams.
21 **aceitunas** olives; **aguardan** await.
22 **noche de Capricornio** night of Capricorn (December 22).
23 **ecuestre** equestrian, on horseback.
24 **salta** leaps over; **plomo** lead.
28 **tricornios** those wearing three-cornered hats (*the Civil Guard, who wear three-cornered, patent leather hats*).
31 **hubieras hecho** you would have made; **fuente** fountain.
32 **chorros** jets, streams.
33 **hijo de nadie** One of the worst possible insults.
35 **Se acabaron los gitanos** Gone are the gypsies.
38 **tiritando** shivering; **polvo** dust.
40 **calabozo** jail.
42 **beben limonada todos** all drink lemonade.
44 **le cierran el calabozo** they lock him up in jail.
45 **reluce** shines.
46 **grupa de un potro** croup of a foal.

PREGUNTAS

LA GUITARRA

1. ¿Qué es, para García Lorca, la música de la guitarra?
2. ¿Por qué dice que es inútil e imposible callar el llanto de la guitarra?
3. ¿Qué significan los versos «Arena del Sur caliente / que pide camelias blancas»? ¿Qué relación hay entre estos versos y los cuatro siguientes?
4. ¿Qué son las cinco espadas que hieren el corazón de la guitarra?
5. Fíjese en los versos «Se rompen las copas / de la madrugada.» Para comprender esta imagen, hay que considerar primero el posible significado de las copas, luego el de la madrugada, y finalmente, el de las copas de la madrugada. Ahora se puede preguntar por qué se rompen al empezar el llanto de la guitarra.
6. ¿Cuál es el tono del poema?
7. Analice las repeticiones que hay en el poema. ¿Qué efecto tienen sobre el ritmo, el tono y el sentido del poema?
8. ¿Qué diferencia hay entre la música de este poema y la de los poemas «musicales» de Juan Ramón Jiménez?

PUEBLO

1. ¿Qué aspectos del pueblo evoca el poeta? ¿Tienen algo en común? ¿Cuál de ellos parece el más importante? ¿Por qué?
2. ¿Qué sugiere la ausencia de metáforas en este poema?
3. ¿Qué efecto tiene la ausencia de verbos en el poema?
4. ¿Qué importancia tiene la palabra *eternamente*? ¿Qué otros elementos del poema contribuyen a dar la impresión de eternidad?

5. ¿Qué importancia tiene la repetición de la palabra *girando*?
6. ¿Cuál es la relación entre la exclamación final y los versos que la preceden? ¿Cuál es el tono de esta exclamación?

SORPRESA

1. ¿Cuál es la palabra que más se destaca en el primer verso? ¿Por qué?
2. ¿Qué repeticiones hay en el poema? ¿Cuál es su efecto? ¿Son repeticiones exactas, o hay alguna diferencia de tono, sentido o actitud?
3. ¿Por qué evoca el poeta a la madre?
4. ¿Por qué no pudo nadie asomarse a los ojos del muerto?
5. ¿Por qué se llama «Sorpresa» este poema?
6. Este poema pertenece a la sección de *Poema del cante jondo* titulada «Poema de la soleá.» ¿Qué hay de soledad en «Sorpresa»?

CANCIÓN DE JINETE

1. Algunos lectores consideran que el tema de este poema es el peligro que se corría viajando solo en España porque había tantos bandidos y ladrones en los caminos. Otros ven algo más profundo en él, y hasta lo interpretan simbólicamente. ¿Qué opina usted? ¿Qué podría simbolizar Córdoba, su soledad y su lejanía?
2. ¿Qué sugiere la luna en el poema? ¿Por qué está roja?
3. ¿Cuál es el papel de la jaca? ¿Por qué dice el poeta que es valerosa?
4. ¿Cuáles son los colores del poema? Comente su significado.
5. ¿Cuál es el tono fundamental del poema? ¿de angustia? ¿de fatalismo? ¿de tragedia? ¿de otra cosa?
6. Alguien ha dicho que el ritmo del poema sugiere el trote de la jaca. ¿Le parece cierto?
7. ¿Cuál es el efecto de haber dividido el verso «Córdoba. / Lejana y sola»?

ROMANCE DE LA LUNA, LUNA

1. ¿Qué relata este romance?
2. ¿Cómo es la luna? ¿Cómo está vestida? ¿Cuál es su actitud hacia el niño? Comente el contraste entre «lúbrica y pura.»
3. ¿Cómo reacciona el niño a la luna? ¿Por qué le dice que huya?
4. Explique la metáfora «tocando el tambor del llano.»
5. ¿Cómo caracteriza el poeta a los gitanos? ¿Por qué tienen las cabezas levantadas y los ojos entornados?
6. ¿Qué elementos de la naturaleza participan en el drama? ¿Parecen aprobar o lamentar la acción de la luna?
7. Analizar las diversas maneras de considerar la muerte en este poema.
8. ¿Qué diferencias hay entre la primera estrofa y las siguientes?

REYERTA

1. ¿Cuál es la historia que se narra en este romance? ¿Cuándo y dónde sucede?
2. ¿Por qué dice el poeta que las navajas son *bellas* de sangre contraria?
3. ¿Por qué es *dura* la luz, y por qué es de naipe?
4. «El agrio verde» es una de las imágenes más misteriosas del poema. Un crítico explica que se refiere a la hierba verde del barranco. ¿Qué le parece esta explicación? ¿Cómo la explicaría usted?
5. ¿Cómo son los ángeles que acuden a la reyerta? ¿Cree que son seres sobrenaturales, símbolos de la muerte, o quizás las mujeres de los que luchan? ¿Por qué traen pañuelos y agua de nieve?
6. ¿Cómo participa la naturaleza en el drama?
7. ¿Qué es, o qué representa, la muda canción de serpiente? ¿Por qué es muda? ¿Por qué es de serpiente?

8. Varios críticos han notado en la poesía de García Lorca una tendencia de ir de lo concreto e inmediato hacia lo general y universal. ¿Dónde y cómo se manifiesta esta tendencia en «Reyerta»?
9. ¿Cuál es la metáfora o imagen que le parece más bella? Intente explicar su belleza.

PRENDIMIENTO DE ANTOÑITO EL CAMBORIO

1. ¿Quién va a Sevilla a ver los toros? ¿Cómo es? Dentro del mundo gitano, ¿qué rango social parece tener?
2. ¿Qué cosas suceden a la mitad del camino? ¿Qué contrastes hay entre las dos acciones?
3. ¿Por qué repite el poeta la frase «hijo y nieto de Camborios» en la segunda estrofa? ¿Con qué tono se dice esta frase?
4. ¿Por qué se le pregunta a Antonio quién es?
5. ¿Por qué están tiritando los viejos cuchillos?
6. Este romance es sumamente rico en símiles, metáforas e imágenes. Comente dos o tres de los más brillantes.

Blas de Otero

The most important poet to come to the fore in Spain in the last twenty years — since the catastrophe of the Civil War — is Blas de Otero. Born in Bilbao in 1916, he spent most of his childhood and youth in Madrid, where he completed his *bachillerato,* then went on to the University of Valladolid to study law. When the Civil War broke out he was only twenty, and caught in the shifting lines of battle, he found himself fighting first on one side, then on the other. Since the end of hostilities, he has given himself largely to teaching and lecturing, although in the last few years he has tended to withdraw more and more from any professional activity. He has made several trips to France and maintains close contact with French intellectual and literary circles. At the present time he resides in Bilbao.

Although Otero had written and published poetry as early as 1941, it was not until the appearance in 1950 of the widely praised *Angel fieramente humano* that he was recognized as one of the great poets of the post-war generation. He followed this in 1951 with the equally successful volume, *Redoble de conciencia,* which, in reality, was a continuation of *Angel.* In 1955 Otero brought out a rather different though equally important group of poems under the title *Pido la paz y la palabra.* Three years later he reordered the poems of *Angel* and *Redoble,* added to them some forty-eight poems from the same period (1949–1951), and published the whole under the strange title *Ancia* (derived from the first two letters of *Angel* and last three of *Redoble de conciencia*). Otero's last work to appear in print is *En castellano,* which was published in France in a bilingual edition in 1959. Since then he has prepared a new volume of poems called *Que trata de España,* but the censors have so mutilated it that it, too, will probably have to be published north of the Pyrenees.

Angel fieramente humano and *Redoble de conciencia* are voices from the cold waste of contemporary despair. In them

Otero speaks as one who has seen the shaking of the foundations and has discovered that the traditional patterns of belief have lost their sustaining power. His is a generation uprooted with no greater destiny than that of shoring up the ruins:

> *Un mundo como un árbol desgajado.*
> *Una generación desarraigada.*
> *Unos hombres sin más destino que*
> *apuntalar las ruinas.*

He engages in desperate struggle to rediscover the god of his youth, but that god is now the "*Inasible*" who cruelly cuts off the hands that would grasp him, and blinds the eyes that would see him. Wherever the poet turns, the void and the abyss loom up about him, and he is left in the terrifying knowledge of his irrevocable estrangement from God, and, consequently, of his inevitable and unredeemable mortality. Nevertheless, Otero is able to rise above the ruins to a firm and unyielding conviction that, in spite of everything, man and his life are in themselves sufficient centers of worth and dignity. Out of the depths of his awful knowledge of the human condition, Blas de Otero stands to assert an heroic and modern humanism in which man not only survives, but prevails.

Pido la paz y la palabra and *En castellano* are built upon the humanism of the preceding works, but the poet's concern is now focused upon man as he lives in community with other men in a specific historical situation. In these poems, then, Otero is less concerned about himself or about the human condition in general than about the crucial problems faced by man today: peace, liberty, and human dignity. Thus, in *Pido la paz y la palabra* and *En castellano* Otero searches with keen and sensitive vision the world in which man finds himself today. The passion once employed to fight against the void of human aloneness and mortality is now directed to the pressing concerns of life here and now. Leaving the smallness of his own self behind, the poet turns his eyes towards all mankind: "*Antes miraba hacia dentro. / Ahora, de frente, hacia fuera.*" In radical opposition to the ivory tower — to every posture of art for art's sake — Otero demands that poetry participate in the world's immediacy and that it be a positive force for the salvation of these difficult moments of human time. Poetry is thus no longer a luxury or a simple object of beauty, but an instrument — hammer and scythe as he says in one of his poems — in man's contemporary fight for justice.

The justice that Otero is most concerned to secure is, of course, for his own mutilated land and people. In the suffering of Spain today, in the oppressive, corrosive atmosphere that has been destroying her for a quarter of a century, the poet takes his stand and makes his witness. With prophetic force he tells of a Spain *"despeinada en llanto,"* of a Spain that is *"una sola horrorosa plaza de toros,"* a *"patria entre alambradas,"* and a *"cárcel alzada sobre el Cantábrico . . ."* If he writes the words *"España libre,"* he is met with violent guffaws of derisive laughter. Liberty, like an old rag, lies *"tirada por el suelo,"* and Spaniards, Otero says bitterly, are freezing in the sun, although *"no exactamente el de la justicia."* Yet Otero is no defeatist, for these poems are fundamentally statements of love and faith: of his love for Spain and her people, and of his faith in their capacity to survive imprisonment and drought. So that in spite of the misery he sees, Otero looks to a redeeming sabbath when all can breathe again in an air pure and abundant.

Whether Blas de Otero is struggling against man's essential lostness, as in the earlier works, or against the contemporary circumstantial injustices of tyranny and war, as in the later works, we discover the same voice of bristling energy, of virile integrity, of clarity, conviction, and courage. It is at times sardonic and even bitter but never shrill or peevish, as is so often the case in our modern literature of despair. The voice of Blas de Otero is always the triumphant one of an *ángel fieramente humano.*

One final word. When reading a poet of such compelling power as Blas de Otero, we are sometimes so seduced by what he says that we do not adequately appreciate the art with which he says it. But since in a successful poem the form is always one with the content, to overlook the form is always to impoverish the poem. The linguistic resources of Otero are considerable and his control over them is the most subtle of any poet of his generation. The reader will accordingly be rewarded by sensitive attention to the fine craftsmanship of the poems that follow.

HOMBRE

Luchando, cuerpo a cuerpo, con la muerte,
al borde del abismo, estoy clamando
a Dios. Y su silencio, retumbando,
ahoga mi voz en el vacío inerte.

5 Oh Dios. Si he de morir, quiero tenerte
despierto. Y, noche a noche, no sé cuándo
oirás mi voz. Oh Dios. Estoy hablando
solo. Arañando sombras para verte.

Alzo la mano, y tú me la cercenas.
10 Abro los ojos: me los sajas vivos.
Sed tengo, y sal se vuelven tus arenas.

Esto es ser hombre: horror a manos llenas.
Ser — y no ser — eternos, fugitivos.
¡Angel con grandes alas de cadenas!

Angel fieramente humano (1950)

TIERRA

Quia non conclusit ostia ventris
Job III, 10

Humanamente hablando, es un suplicio
ser hombre y soportarlo hasta las heces,
saber que somos luz, y sufrir frío,
humanamente esclavos de la muerte.

Detrás del hombre viene dando gritos 5
el abismo, delante abre sus hélices
el vértigo, y ahogándose en sí mismo,
en medio de los dos, el miedo crece.

Humanamente hablando, es lo que digo,
no hay forma de morir que no se hiele. 10
La sombra es brava y vivo es el cuchillo.
Qué hacer, hombre de Dios, sino caerte.

Humanamente en tierra, es lo que elijo.
Caerme horriblemente, para siempre.
Caerme, revertir, no haber nacido 15
humanamente nunca en ningún vientre.

Redoble de conciencia (1951)

DIGO VIVIR

Porque vivir se ha puesto al rojo vivo.
(Siempre la sangre, oh Dios, fue colorada.)
Digo vivir, vivir como si nada
hubiese de quedar de lo que escribo.

5 Porque escribir es viento fugitivo,
y publicar, columna arrinconada.
Digo vivir, vivir a pulso, airada-
mente morir, citar desde el estribo.

Vuelvo a la vida con mi muerte al hombro,
10 abominando cuanto he escrito: escombro
del hombre aquel que fui cuando callaba.

Ahora vuelvo a mi ser, torno a mi obra
más inmortal: aquella fiesta brava
del vivir y el morir. Lo demás sobra.

***Redoble de conciencia* (1951)**

«Mis ojos hablarían si mis labios»

¿Callaremos ahora para llorar después?
R.D.

Mis ojos hablarían si mis labios
enmudecieran. Ciego quedaría,
y mi mano derecha seguiría
hablando, hablando, hablando.

Debo decir «He visto.» Y me lo callo 5
apretando los ojos. Juraría
que no, que no lo he visto. Y mentiría
hablando, hablando, hablando.

Pero debo callar y callar tanto,
hay tanto que decir, que cerraría 10
los ojos, y estaría todo el día
hablando, hablando, hablando.

Dios me libre de ver lo que está claro.
Ah, qué tristeza. Me cercenaría
las manos. Y mi sangre seguiría 15
hablando, hablando, hablando.

***Pido la paz y la palabra* (1955)**

UN VASO EN LA BRISA

Calvario como el mío pocos he visto. Ven,
asómate a esta ventana.
Para qué voy a escribir lo que ha ocurrido.
El tiempo todo lo aclara.

5 Para qué hablar de este hombre cuando hay tantos
    que esperan
(españahogándose) un poco de luz, nada
más, un vaso de luz
que apague la sed de sus almas.

Lo mejor será que me someta a la tempestad,
10 todo tiene su término, mañana
por la mañana hará sol
y podré salir al campo. Mientras el río pasa.

No esperéis que me dé por vencido.
Es mucho lo que tengo apostado a esa carta.
15 Malditos sean los que se ensañaron
en mi silencio con sus palabras.

Yo ofrezco mi vida a los dioses
que habitan el país de la esperanza
y me inclino a la tierra y acepto
la brisa que agita levemente esta página . . . 20

Pido la paz y la palabra (1955)

JUNTOS

Esta tierra, este tiempo, esta espantosa podredumbre
que me acompañan desde que nací
(porque soy hijo de una patria triste
y hermosa como un sueño de piedra y sol; de un
tiempo
5 amargo como el poso
de la historia):
esta tierra, este tiempo que tiran de mis pies
hasta arrancar los huesos a mi esperanza última,
¡ah, no podrán, jamás podrán vencerme,
10 porque mi mano se me va y se agarra
a otra mano de hombre y a otra mano
que me encadenan, madre inmensa, a ti!

Pido la paz y la palabra (1955)

OTOÑO

Tierra
roída por la guerra,
triste España sin ventura,
te contemplo
un mañana de octubre, 5
el cielo
es de acero oxidado, el primer frío
guillotina las hojas amarillas,
patria
de mi vivir errante, 10
rojas colinas
de Ciudad Real,
fina niebla de Vigo,
puente
sobre el Ter, olivos alineados 15
junto al azul de Tarragona,
tierra
arada duramente,
todos te deben llorar,

20 nosotros
abrimos los brazos a la vida,
sabemos
que otro otoño vendrá, dorado y grávido,
bello como un tractor entre los trigos.

Que trata de España (*inédito*)

NOTES

HOMBRE

The form is that of the classic Spanish sonnet: fourteen *endecasílabos,* divided into two *cuartetos* and two *tercetos.* The hendecasyllable ordinarily has rhythmic accents on the sixth and tenth syllables, or on the fourth, eighth, and tenth syllables.

1 **luchando** struggling, fighting; **cuerpo a cuerpo** hand to hand.
2 **borde** edge; **abismo** abyss; **clamando** crying out.
3 **retumbando** resounding.
4 **ahoga** drowns, chokes; **el vacío** the void.
5 **Si he de morir** If I am to die.
6 **despierto** awake; **noche a noche** night after night.
8 **Arañando** Scratching, clawing at; **sombras** shadows.
9 **Alzo** I lift up; **me la cercenas** cut it off.
10 **me los sajas vivos** you lacerate them.
11 **sal se vuelven tus arenas** your shores (sands) turn into salt.
12 **horror a manos llenas** horror in abundance.
14 **alas de cadenas** wings of chains.

TIERRA

Otero has here used quatrains of *endecasílabos,* with assonance in both the even and the odd-numbered verses, a rather unusual combination.

Quia non . . . ventris because it did not shut the doors of the womb. *The epigraph is taken from Job's lament that he was ever born, in the course of which he curses the night "because it did not shut the doors of my mother's womb, and so conceal trouble from my eyes."*

1 **suplicio** torture, anguish.
2 **soportarlo** to bear it; **hasta las heces** to the bitter end (***hez*** dregs, sediment; ***heces*** excrement).
5–6 **viene dando gritos el abismo:** ***el abismo viene dando gritos.***
6 **hélices** spirals, propellers.

6–7 **abre sus hélices el vértigo:** ***el vértigo abre sus hélices.***

7 **vértigo** vertigo, dizziness; **ahogándose en sí mismo** drowning in itself

8 **los dos:** ***el abismo*** *and* ***el vértigo;*** **crece** grows.

9 **es lo que digo** that's what I declare, affirm.

10 **que no se hiele** that doesn't freeze (***helar*** to freeze), terrify.

11 **brava** fierce, savage; **vivo** sharp, intense.

12 **Qué hacer . . . sino caerte** What is there to do . . . but to fall.

13 **elijo** I elect.

15 **revertir** to revert.

16 **vientre** womb.

DIGO VIVIR

This is another sonnet on the classical pattern, but with the fairly unusual rhyme scheme in the tercets of **CCD EDE.**

digo vivir *This expression resists translation, but it means something like "I state and affirm living."*

1 **se ha puesto al rojo vivo** has become red hot.

2 **colorada** red.

3–4 **como si nada hubiese de quedar** as if nothing were to remain.

6 **columna** column; **arrinconada** abandoned, neglected (*literally, put in the corner*).

7 **a pulso** intensely (*literally, with the strength of the hand and wrist alone*).

7–8 **airadamente** angrily.

8 **citar** in bullfighting, to provoke the bull to charge; **estribo** stirrup.

9 **al hombro** on my shoulder.

10 **cuanto** all; **escombro** ruin.

12 **ser** being, real self; **torno** I return (*a word often regarded as poetic*).

13 **fiesta brava** bullfighting.

14 **sobra** is superfluous, in excess.

«Mis ojos hablarían si mis labios»

This poem consists of quatrains of three *endecasílabos* and one *heptasílabo.* As in «Tierra,» Otero has also combined rhyme and assonance.

¿Callaremos . . . después? *This epigraph is from the poem «Los cisnes,» by the great modernista poet Rubén Dario (1867–1916).*

2 **enmudecieran** were to become silent; **Ciego quedaria** I would become blind.
3–4 **seguiría hablando** would keep talking.
5 **me lo callo** I keep silent.
6 **apretando los ojos** shutting tight my eyes; **Juraría** I would swear, testify.
7 **mentiría** I would lie.
13 **Dios me libre de ver** May God free me from seeing.
14 **Me cercenaría** I would cut off.

UN VASO EN LA BRISA

For this poem, Otero has used a variety of verses, in assonance.
1 **Calvario** Calvary, Via Crucis, intense suffering; **pocos he visto** few have I seen.
2 **asómate a** come up to.
3 **Para qué voy a escribir** Why should I write, to what purpose would I write.
4 **todo lo aclara** explains it all.
6 **españahogándose** *This is a word created by Otero, composed of the two words* ***España*** *and* ***ahogándose*** (drowning, suffocating, choking). *It defies translation, of course, but suggests something like "choking on Spain."*
8 **apague** that will quench (**apagar** to put out, quench).
9 **que me someta** that I submit; **tempestad** storm.
10 **término** end.
13 **que me dé por vencido** that I surrender (***dar por vencido*** to surrender).
14 **Es mucho . . . carta** I have a lot bet on that card.
15 **Malditos sean** cursed be.
15–16 **se ensañaron en** took pleasure in, gloated over.
19 **me inclino** I bow.
20 **agita** stirs, ruffles; **levemente** lightly, softly.

JUNTOS

Apart from the four concluding *endecasílabos,* this poem is an example of free verse (without rhyme, assonance, syllable count, or fixed rhythmic pattern).
juntos together.
1 **espantosa** frightening; **podredumbre** decay, grief.
3 **patria** land, fatherland.

5 **amargo** bitter; **poso** dregs.
7 **tiran de mis pies** pull on my feet, pull me by the feet.
8 **hasta . . . esperanza última** until the bones of my last hope are pulled out.
9 **vencerme** to vanquish me.
10 **mi mano se me va** my hand goes forth; **se agarra** seizes.
12 **encadenan** chain, bind.

OTOÑO

This poem is another example of free verse.
2 **roída** eaten away, corroded (*from* ***roer***).
3 **ventura** luck, fortune, happiness.
7 **acero oxidado** rusted steel.
8 **guillotina** guillotines.
9 **patria** land, fatherland.
10 **vivir errante** errant, wandering existence.
11 **colinas** hills.
12 **Ciudad Real** *Province in central Spain, south of Madrid, in New Castile.*
13 **niebla** mist; **Vigo** *Bay and port city in Galicia, in northwest Spain, with heavy annual rainfall and considerable mist and fog.*
14 **puente** bridge.
15 **el Ter** *River in Cataluña, in northeast Spain;* **olivos alineados** olive trees in rows (aligned).
16 **Tarragona** *City south of Barcelona on the Mediterranean coast.*
18 **arada duramente** laboriously plowed.
23 **dorado** golden; **grávido** gravid, pregnant, abundant.
24 **trigos** wheat fields.

PREGUNTAS

HOMBRE

1. ¿Con qué o con quién lucha el poeta?
2. ¿Cual es el abismo al borde del cual está luchando? ¿la aniquilación de su ser? ¿la nada? ¿la certeza de que Dios no existe? ¿la certeza de que la muerte es absoluta e irredimible?
3. ¿Cuál es la relación entre la muerte y Dios?
4. ¿Qué paradoja hay en el primer cuarteto? ¿Cómo la explica usted?
5. ¿Qué representa el vacío inerte? ¿lo mismo que el abismo?
6. ¿A quién se dirige Otero en el segundo cuarteto y en el primer terceto?
7. ¿Cuál es el horror del hombre evocado en el penúltimo verso?
8. ¿Cuál es la paradoja del último verso? ¿Cómo la explica usted? ¿Cómo queda subrayada esta paradoja estilísticamente?
9. ¿Por qué emplea el poeta la paradoja en vez de expresarse más directamente?
10. Según este soneto, ¿qué idea del hombre parece tener Otero?
11. ¿Cómo es el ritmo de los dos cuartetos? ¿Cuál es el efecto de los puntos interiores, es decir, los que no vienen al final del verso? ¿Cómo cambia el ritmo en los tercetos? ¿Cómo contribuye el ritmo al significado del poema?
12. Comente la construcción del primer terceto. ¿Cómo sirve para dramatizar la lucha entre el hombre y Dios?
13. Estilísticamente, ¿en qué consiste la gran eficacia del verso «Esto es ser hombre: horror a manos llenas»?

14. ¿Cuál es el eslabón entre los dos tercetos?
15. ¿Qué otros aspectos estilísticos merecen ser comentados?

TIERRA

1. ¿Por qué es un suplicio ser hombre? Por otra parte, ¿qué valor tiene el hombre? Cite los momentos del poema en que Otero exalta al hombre.
2. ¿Por qué insiste Otero tanto en el adverbio *humanamente?* ¿Cómo destaca la palabra estilísticamente?
3. ¿Cuáles son los enemigos del hombre evocados en el segundo cuarteto?
4. ¿Qué metáforas o imágenes emplea Otero para hablar de la muerte?
5. Lea el tercer capítulo de Job. ¿Qué diferencia o semejanza encuentra entre la actitud de Job y la de Otero?
6. ¿Le parece que la actitud de Otero frente a su suplicio es heroica, trágica, patética, o cobarde? Explique su contestación.
7. Para el poeta, ¿qué significa *caer?* ¿Significa lo mismo en el tercer cuarteto que en el cuarto?
8. ¿Cómo están subrayados estilísticamente los negativos del último cuarteto? ¿Cual es su efecto? ¿y su sentido?
9. ¿Cuál es el tono fundamental del poema?

DIGO VIVIR

1. Este es el poema que cierra el libro *Redoble de conciencia.* ¿Cómo ve ahora el poeta su poesía? ¿Por qué la escribió? ¿Para qué le ha servido escribirla?
2. ¿Cuál es más importante para el poeta, la poesía o la vida? ¿Por qué?
3. ¿Qué imagen emplea Otero para el auténtico vivir? Señale los varios momentos del poema en que aparece directa o indirectamente, indicando así su fuerza a través del poema entero.

4. ¿Cuál es el efecto de la división de la palabra *airadamente?*
5. Los dos tercetos son casi idénticos en cuanto a su construcción. Sin embargo, hay una pequeña diferencia. ¿Cuál es, y para qué sirve?
6. En el último terceto, el poeta dice que la fiesta brava es su obra más inmortal. ¿Por qué más inmortal?
7. ¿Cuál es el tono fundamental de este poema? Compárelo con el de los dos poemas anteriores.

«Mis ojos hablarían si mis labios»

1. Otero empieza declarando que sus ojos hablarían si sus labios enmudecieran. Trace el desarrollo e intensificación de este concepto en el poema.
2. ¿Cuál es el sentido de la repetición del gerundio *hablando?*
3. ¿Intenta el poeta callarse? ¿Le es posible callarse?
4. ¿Nos dice el poeta lo que ve, «lo que está claro»? ¿Se puede suponer qué es?
5. ¿Actúa el poeta porque siente una misión profética casi divina, o más bien porque siente una compulsión fundamentalmente personal de proclamar la verdad, sea ésta lo que sea?
6. ¿Qué relación tiene el epígrafe con el poema? ¿Añade algo al sentido del poema?

UN VASO EN LA BRISA

1. ¿A quién se dirige el poeta en la primera estrofa?
2. En la primera estrofa, ¿siente el poeta la necesidad de describir su calvario personal? ¿Por qué?
3. En la segunda estrofa, ¿qué razón da Otero para no hablar de su calvario personal? ¿Y en la tercera estrofa?
4. ¿Cuál es la tempestad a que se refiere en la tercera estrofa? ¿Y el sol?
5. ¿Qué es el río que pasa?

6. ¿Qué cambio de actitud y de tono se ve en la cuarta estrofa?
7. ¿Quiénes son los que maldice el poeta?
8. ¿Qué representa o simboliza la brisa que agita levemente la página? ¿Qué simboliza la página misma? ¿Qué relación tiene esto con el vaso de luz, y con el título del poema?
9. ¿Qué diferencia de actitud hay entre el principio y el final del poema?

JUNTOS

1. ¿Por qué insiste el poeta tanto en *esta* tierra, *este* tiempo, *esta* espantosa podredumbre? ¿A qué tierra, a qué tiempo, y a qué podredumbre se refiere?
2. ¿Cómo es la patria de Otero? ¿Por qué dice que es como un sueño de piedra y sol?
3. ¿Qué quiere decir Otero al declarar que esta tierra y este tiempo le arrancan los huesos a su esperanza última?
4. ¿Quién es la «madre inmensa» del último verso?
5. Generalmente, el verbo *encadenar* se emplea con implicaciones negativas. En el último verso del poema, ¿se emplea con valor negativo o afirmativo, o con una mezcla de los dos? ¿Por qué eligió precisamente este verbo Otero en vez de otro, como por ejemplo, *relacionar, juntar,* o *unir?*
6. ¿Cómo se salva el poeta de la espantosa podredumbre de su tiempo?
7. ¿Qué significa el título del poema?

OTOÑO

1. ¿Qué sonido domina en los primeros dos versos? ¿Cuál es su efecto?
2. ¿A qué guerra se refiere el poeta?
3. ¿Cómo es la España que evoca el poeta? ¿Cómo la evoca? ¿Cuál es el efecto de mencionar unos sitios específicos como Ciudad Real y Vigo?

4. ¿Quiénes son los «todos» que deben llorar por España?
5. Comente el símil «bello como un tractor entre los trigos». ¿Qué efecto tiene la palabra *tractor*? ¿Por qué un tractor y no un arado?
6. ¿Acaba el poema con una actitud pesimista u optimista hacia el futuro?
7. ¿Por qué es el otoño la estación más apropiada para las ideas y los sentimientos de este poema? El otoño que vendrá, ¿será como el del poema?

Vocabulary

Omitted from the vocabulary are some close cognates and words that the student may be reasonably expected to know after a semester of college Spanish. Only the meanings found in the text are given.

abeja bee
abismo abyss
abominar to abominate
acabar to end
acabarse to come to an end
acacia tree similar to the mimosa, with delicate fernlike leaves and graceful clusters of white, sweet-smelling flowers
acariciar to caress
aceite oil
aceituna olive
acercar(se) to approach, go near
acero steel
aclarar to clarify, explain, make clear
acompañar to accompany
actuar to act
acudir to come, gather at
acumular to accumulate, take up, gather
agarrar to grasp, seize
agitar to stir, ruffle
agreste rustic
agrio sour, acid, sharp
aguardar to await
agudo sharp, pointed, fleet
ahogar to drown, choke, suffocate
airadamente angrily
ala wing
alambrada barbed wire fence
alcanzar to attain, achieve
alforja saddle bag
alinear to align, line up
alivio solace, comfort
alma soul
almidonar to starch
alzar to raise up
amada beloved
amante lover
amargo bitter
ámbito compass, space
andaluz Andalusian
angustia anguish
anillo ring
aniquilación annihilation
anochecer to become night, nightfall
ante before, in face of
antecedente antecedent
anterior previous
antiguo ancient
añadir to add
apagar to quench
apasionado passionate
apenas scarcely
apoderar(se) to gain control, power
apolillado moth-eaten

apostar (ue) to bet
apretar (ie) to tighten, quicken
aprobar (ue) to approve
apropiado appropriate
apuntalar to shore up, hold up
arañar to scratch, claw
arar to plow
árbol tree
arca chest, coffer
arena sand
arnés armor
arrancar to tear off, up
arrinconar to put aside, pigeon-hole, neglect
arroyo stream
arruinar to ruin
ascender to ascend
asomarse a to appear at, approach, come up to
asonancia assonance (vowel rhyme only)
atento attentive to
atribuir to attribute
audiencia court house
ausencia absence
auténtico authentic, genuine
avaro greedy, avaricious
avena oat
aventura adventure
azul blue

bajar to go down, descend, lower
balcón balcony window
banal banal
bandido bandit
baño bath
barranco ravine
basar(se) to be based on
batalla battle
belleza beauty
besar to kiss
bien: más bien rather
blanco white, target
blancor whiteness
bodas wedding
borde edge
borrar to erase
bravo brave, angry, fierce, savage
brillar to shine
brisa breeze
bronce bronze
bruñir to polish
bucle curl, lock of hair
bullicio noise, clatter

caballo horse
cadena chain
cadencia cadence
calabozo jail
calvario Cavalry, Via Crucis
callar to hush, silence
calleja narrow street, alley
cambiar to change
cambio change
camelia camellia
caminero pertaining to the road
camino road, way
campana bell
campanario bell tower
campo land, field
Cantábrico Cantabria, region in the north of Spain on the Bay of Biscay
cantar to sing
cante jondó Andalusian deep song
canto song
capaz capable
capitán captain
Capricornio Capricorn
capullo cocoon
caracterizar(se) to characterize
cárcel jail, prison
carcoma woodborer
carne flesh
carretera de on the road to
carta card
cartaginés Carthaginian
cartón cardboard
casado married
caso case
castellano Castilian

castellano: en castellano speaking plainly, calling a spade a spade
causa: a causa de because of
cazador hunter
cenit zenith
centenario century-old
cera wax
cercenar to cut off
certeza certainty
ciego blind
cielo sky, heaven
cierto right, certain
cincel chisel
citar in bullfighting, to provoke the bull to charge
cizaña darnel (a weed)
clamar to cry out
claro clear, luminous, limpid, distinguished, outstanding
codo elbow
colegio elementary and secondary school in Spain
colgar (ue) to hang, hang up
colina hill
colmena beehive
colorado red
columna column
collar necklace
comentar to comment, remark on
complejidad complexity
comprensión comprehension
común: en común in common
conciencia conscience
confuso confused
conmovido moved (by emotion), disturbed
conseja fable, story
consolar (ue) to console, soothe
constatar to report
contar (ue) to tell, relate
contemplar to contemplate
contestación answer
continuidad continuity
contrario opposite, opposed
contribuir to contribute
copa wine cup; top of tree
corazón heart
corneja crow
coro chorus
costado side
crecer to grow
crimen crime
crin mane
cristal crystal
crítico critic
cruz cross
cuan how
cuanto all
cuarteto quatrain
cuchillo knife
cuerpo body
cuerpo a cuerpo hand to hand (combat)
cuidadoso careful, attentive
culminación climax, final point of development
culminante climactic

chorro jet

dar to strike (the hour); to give
darse cuenta de to realize
débil weak
debilidad debility, weakness
dedo finger
definitivo definitive
dejar to leave, abandon
demás: lo demás the rest, remaining
denegrido blackened
derecho right
derribar to knock down
desaparición disappearance
desarraigar to uproot
desarrollar(se) to develop
desarrollo development
"Desastre" "Disaster," refers to defeat of Spain in 1898
desesperanza despair
desgajar to tear branches off, to disjoint

desilusión disillusion
deslumbrar to illuminate, enlighten
desmayado in a faint
despedir (i) to say goodbye, take leave of
despeinado uncombed, with hair let down
despertar (ie) to wake, awake
despierto awake
despreciar to despise, scorn
destacar to emphasize, make stand out
detener(se) to stop
diario diary, journal
dirigir(se) to direct oneself to, to address, speak to
distinto different
doble double
doler (ue) to pain, hurt
dolor pain
dominador domineering, commanding
dominar to dominate, prevail
doquiera wherever (poetic)
dorado golden
dormir (ue, u) to sleep, put to sleep
dudar to doubt
duramente laboriously
duro hard

ecuestre equestrian
echar to throw, cast
eficacia efficacy
eficaz efficient
efímero ephemeral, fleeting
ejemplo: por ejemplo for example
elegía elegy (spelled **elejía** by Jiménez)
elegíaco elegiac
elegir (i) to elect, choose
elevar to elevate, exalt
embargo: sin embargo nevertheless
embozado cloaked, muffled up
empavonado oily
empezar (ie) to begin
emplear to employ, use
encadenar to enchain
encalar to whitewash
encontrar (ue) to find
encontrarse (ue) to find oneself, to be
enfrentarse con to face
enfurecer(se) to infuriate, become infuriated
enmudecer to become silent
ensañarse to take pleasure in, gloat over
entero entire, whole
entornar to half-close
envuelto wrapped up in
epígrafe epigraph (pertinent motto or quotation at beginning of book, poem, etc.)
época epoch, period
errante errant, wandering
errar to wander
esclavo slave
escoger to choose
escombro ruin, rubbish
escuchar to listen to
escudo coat of arms
eslabón link
espada sword
espantoso frightening
específico specific
espejo mirror
esperanza hope
espiga wheat pod
espíritu spirit
estación season, state, condition
estado state, condition
estaño tin
estilísticamente stylistically
estrella star
estribo stirrup
estrofa stanza
eternidad eternity
evocar to evoke

exaltación exaltation
exaltar to exalt

famélico hungry, famished
farol street lamp
fe faith
fecundo fecund, fertile
fieramente fiercely
fiesta brava bullfighting
fijarse en to notice, look at carefully
final end
fino fine, delicate, exquisite
flaco thin
flecha arrow
florido flowering, with flowers
fondo depth, substance, nature
forma form, way, manner
fragua forge
frente forehead
frente a in face of, facing
frente: de frente forward
fuego fire
fuente fountain
fuera outside
fuerte strong
fuerza force, power, strength
fugitivo fugitive; fleeting, brief

galería gallery
galgo greyhound
ganapán common laborer, drudge
garboso jauntily, elegantly
gemir (i) to whine, moan
gerundio present participle
girar to turn, rotate, whirl
gitano gypsy
glauco pale green
golpe: a golpe de with the blows of
gradación gradation
granada pomegranate
grávido gravid, pregnant
graznar to caw
gris grey
grito shout
grupa croup
guardar to keep
guardia civil Civil Guard (Spain's rural police, traditional enemy of the gypsy)
guerra war
guerrero warrior
guillotinar to guillotine
guitarra guitar
gusano worm
gusano de seda silk worm

haber de to be to; **he de morir** I am to die
habitar to inhabit, live in
hacer: se hace uno con becomes one with
harapos rags
hecho fact
helar (ie) to freeze, terrify
hélice spiral, propeller
herir (ie, i) to wound
hez dregs, sediment; **heces** excrement
hidalgo nobleman, noble
hielo ice
hierba grass
hierro iron
higuera fig tree
hilo thread
historia history, story
hogar home
hoja leaf
hombro shoulder
hondo deep
hueco hole, opening
huerta orchard
huerto garden
hueso bone
huir to flee
humanamente humanly
humilde humble, poor
huye: from **huir** to flee

identificarse to become identified with each other, to become one
ignorar to be ignorant of, not to know
igual equal
igual que like, the same as
igualmente equally
imagen image
impotencia impotence
inasible that which cannot be grasped
incendiar to set on fire
inclinarse to bow down
indefinido indefinite
indicar to indicate, point out
inédito unpublished
inerte inert
infierno hell
ingenuo innocent, naive, ingenuous
intentar to try
interior internal
inútil useless, futile
ironía irony
irredimible irredeemable

jaca pony
jardín garden
jerarquía hierarchy; **jerarquía de valores** scale of values
jinete horseman
juez judge
juntar to join
junto together
jurar to swear, testify
justo just
juzgar to judge

labio lip
laborar to make, work, till
labrar to make, work, till, work out (a man's destiny)
ladrón thief
lágrima tear
lamentación lament, lamentation
lamentar to lament, regret
lector reader
lecho bed
lejanamente distantly
lejanía distance
lejano distant
lejos far
leyenda legend
librar to free
limitar(se) to limit (oneself)
limo mud, top soil
limón lemon
limonada lemonade
linaje lineage, noble family
lirio lily
lúbrico voluptuous
lucero morning star
luchar to fight
luna moon
luto mourning

llano plains
llanto lament, wail
lleno full
llevar to carry, lead
llorar to cry

madera wood
madrasta stepmother
madrugada daybreak, dawn
mago magical
maldecir to curse
maldito cursed
malherido grievously wounded
manifestar (ie) to manifest, make manifest
mano: de la mano by the hand
manos: a manos llenas in abundance
mansión mansion
mañana (el) the tomorrow
mar sea
marcar to mark, indicate
mariposa butterfly
mas but

maza hammer
medianoche midnight
mencionar to mention
mentir (ie, i) to lie
merecer to deserve, merit
metáfora metaphor
mezcla mixture, combination
miedo fear
miel honey
mimbre reed
mismo same, itself
místico mystic
mitad middle
monótono monotonous, monotonously
montar to ride
monte hill, mount
moreno dark, swarthy
morir (ue, u) (se) to die
mover (ue) to move, wave
mozo young man
mudo mute, silent
muerte death
muerto dead, dead man
muralla wall (of a city)
muslo thigh

nacer to be born
nada nothing, nothingness
naipe playing card
nardo tuberose (a fragrant, white lilylike flower)
narrar to narrate
naturaleza nature
navaja knife, razor
navegar to sail, navigate
negar (ie) (se) to refuse, deny
nevada snow fall
niebla mist
nieto grandson
nieve snow
nimbo nimbus, halo
nocturno nocturnal, nocturne (musical composition dealing with night)
nombre name, noun
noria deep well
notar to note, observe
noveno ninth

octavo eighth
ocurrir to occur
ofrecer to offer
ola wave
olivar olive grove
olivo olive tree
olmo elm tree
opinar to think, believe, have an opinion about
opuesto opposed
orientar(se) to be oriented toward, directed toward
oro gold
otoño autumn
oxidar to rust

país country
paisaje landscape
pájaro bird
panteísta pantheist
pañuelo handkerchief, kerchief
papel role
parábola parable
paradoja paradox
pardo grey; brown
parecido similarity, similar
parte: por otra parte on the other hand
participar to participate
partir to split
pasado past
patético pathetic
paz peace
pecho chest
pelado naked, bare, treeless
peligro danger
pena pain, suffering
pendiente slope
penetrante penetrating
penúltimo next to last

perfil profile
pesado heavy
pesar pain, suffering
pez fish
piedad compassion, mercy
piedra stone
piqueta pickaxe
pisar to step on
plácido placid, tranquil
plata silver
playa beach
plaza de toros bull ring
plomo lead (metal)
poder capacity, power
podredumbre decay, grief
polisón bustle
polvo dust
polvoriento dusty
poniente west
portal doorway, principal entrance
poso dregs
potro foal
pozo well
precisamente precisely, exactly
preciso exact, precise
prendimiento arrest
presencia presence
primavera spring
principio beginning
proa prow
proclamar to proclaim
profético prophetic
profundo profound, deep
pronto soon, quickly
proyectar to project
publicar to publish
pueblo village
puente bridge
pulso: a pulso intensely (literally, with the strength of the hand and wrist alone)
pulular to swarm, abound
punto period (punctuation)
punto de vista point of view
puñal dagger
quedar(se) to remain, stay
quieto quiet, tranquil, serene
quizás perhaps

radicar to exist in, lie in
rama branch
rango rank
raro rare, strange
razón reason, justification
realidad reality
rebelar(se) to rebel
recién recently
recortar to cut, cut out
recuerdo memory
redentor redeeming
redoble roll of a drum
redondo round
referirse (ie, i) to refer to
reflejar to reflect
regar (ie) to irrigate
reina queen
reír to laugh
relatar to relate, tell
relucir to shine
rendido worn out, exhausted
requiem Catholic mass for the dead; music of said mass; sublime composition inviting rest and repose
resbalado slippery
resignar(se) to resign oneself, be resigned
respirar to breathe
respuesta answer
retóricamente rhetorically
retumbar to resound
revertir (ie, i) to revert
rey king
reyerta fight, fracas
rima rhyme
rincón corner, spot
risa laugh, laughter
ritmo rhythm
rodar (ue) to roll
roer to gnaw, eat away
rojo vivo red hot

romance ballad, poem consisting of verses of eight syllables, with the same assonance in all even-numbered lines.
romancero collection of ballads
romano Roman
romper to break
rosa rose, pink
rumor rumor, sound
ruta route, way

sacar to get, take out
sajar to scarify, scratch, lacerate
sal salt
saltar to leap, leap over
sangre blood
secar to dry
sed: tener sed to be thirsty
seda silk
seguir (i) to continue
según according to
seguridad certainty
seguro certain
semejante similar
sementera field sown and cultivated
sencillez simplicity
sencillo simple
seno breast
sentido meaning, sense
sentimiento feeling
sentir (ie, i) to feel, regret, hear
señalar to point out, show
ser to be; a being; **sea lo que sea** whatever it may be
sereno serene
serio serious
serpiente serpent
servir (i) to serve, be good for, useful for
siempre: lo de siempre the same old story
sien temple, forehead
siglo century
significado meaning
siguiente following
simbolizar to symbolize
simiente seed
símil simile
siquiera: ni siquiera not even
sitio place
sobrar to be in excess, more than enough
soledad solitude, melancholy
solitario solitary
solo alone
sólo only
sombra shadow, darkness
sombrío somber, dark
someter to submit, subject
son sound, tune
sonreír to smile
soñar (ue) to dream
soportar to bear, suffer
sórdido sordid
sorprender to surprise
subir to climb; **subirse por las paredes** to go wild
subrayar to emphasize, underline
suceder to take place, happen
suelo ground
sueño sleep, dream
sugerir (ie, i) to suggest
suplicio torture, intense suffering
sustancia substance, essence, nature

tambor drum
tardar en to delay, take time in
tema theme
temblar (ie) to tremble
tempestad storm
tendencia tendency
tender (ie) to tend
tenue tenuous, thin, slender
terceto tercet
término end
tirar to throw, throw away
tirar de to pull on
tiritar to shiver
título title

tizón smut, mildew (on wheat pod)
tocar to play, touch
tono tone
torera a bullfighter's pass, involving a sweeping movement of the cape
tornar to return (usually poetic)
toro bull
toros bullfight
torre tower
torrente torrent
traje suit, dress
tratar to treat
tratar de to concern, be about, to try to
través: a través de through
trazar to trace
trenza tress
tricornio a Civil Guard (so-called because of the three-cornered hat he wears)
trigo wheat
tristeza sadness
trofeo trophy
trote trot
turbio turbid, not clear

último ultimate, last, final
ulular to howl
unidad unity, oneness
unir to unite

vacío empty, the void
vago vague
valeroso valiant, brave
valor value
valoración evaluation
vals waltz
vara cane
vaso glass
velada a nighttime public fiesta, usually with lights, music, and considerable gaiety
velar to watch, watch over
veleta weather vane
vencer to vanquish
vencido: dar por vencido to surrender, give up
ventana window
ventura luck, fortune, happiness
ver; tener que ver con to have to do with
verano summer
verbo verb
verdad: de verdad real, genuine
verdaderamente truly
verdadero true, real, authentic
verde green
verso verse, line of a poem
verter (ie) to pour, translate
vértigo vertigo
veste dress (poetic for **vestido**)
vestir (i) to dress
vez: en vez de instead of
viajar to travel
viaje trip, journey
viajero traveller
viento wind
vientre womb
vivir to live; life, living, existence
vivo sharp, intense, alive
volar (ue) to fly
volver (ue) a to do again
volverse (ue) to become
vulgar common, trite

ya no no longer
yunque anvil

zumaya a kind of owl